CW00394508

MORE THAN REAL

CRYPTOJUNGLA

KANTFISH, EMANUELE GIUSTO, (Catania, 1976) es un autor multidisciplinar italiano que combina la realidad a través de imágenes, film documentales, videos, técnicas digitales y conceptos de la cultura pop moderna.
Kantfish transforma la realidad y la convierte en una experiencia más que real.
En el descubrimiento continuo del espíritu humano y de sus fenómenos sociales se centran las obras y los estudios de Kantfish.
El arte según Kantfish tiene la capacidad de cambiar la vida cotidiana de cada uno. Representa una visión. Una inspiración. Una canalización. Una manera de conectar y sentir. Un detalle se transforma en *trigger* para una nueva inspiración. Para empezar un nuevo viaje.
Inscrito en el Colegio de Periodistas Italiano desde el año 2001 Kantfish es reportero internacional de política, economía, viajes, tendencias y sociedad, entre otros. Sus reports, textos, fotografías y videos, han sido publicados en los principales medios de Italia, España, Estados Unidos, Reino Unido y Portugal. Medios como l'Espresso, Venerdì di Repubblica, lo Donna del Corriere della Sera o Il Messaggero en Italia. En España ha publicado en El País Semanal, ha colaborado de manera continuada con XL Semanal y con la revista Rolling Stones con un espacio fijo "Manual de Supervivencia". Ha publicado en Foreign Policy en los Estados Unidos, Guardian en Reino Unido y Exame en Portugal.
Kantfish es autor publicado por la renombrada editorial Feltrinelli, con el libro "La vuelta a Europa con 30€" sobre los cambios de sistemas económicos y sociales del fenómeno de las compañías aéreas *low cost*. Invitado en TV y Radios internacionales en Italia, España y Suiza. En

emisiones como Rai 1 Unomattina, Rai 3 Cominciamo Bene, La 7 Effettodomino, SkyTg24, Radio 24 Il Sole24Ore Salvadanaio, Cuore e Denari, Destini Incrociati, Radio3 Rai Farenheit, Radio 2 Nudo e Crudo, RNE Radiocinco Todonoticias, Radio Nacional de España, RSI Radio Nacional Suiza.
Sus fotografías han sido distribuidas por las agencias Contacto, Associated Press, Notimex. La editorial Lunwerg del Grupo Planeta ha publicado sus imágenes en el libro Angola. Ha dirigido y realizado el video oficial del Día Mundial del Agua, World Water Day, de la FAO, Food and Agriculture Organization of United Nations, UN-water. Ha colaborado con las agencias Peninsula Press y The Report.
Como director ha dirigido y producido un largometraje documental "El Dulce Sabor del Éxito" (2021) con el tenor Plácido Domingo, la actriz Rossy De Palma, el filósofo Fernando Savater, el fotógrafo Alberto García-Alix, la artista Pilar Albarracín, el psicólogo Martin Seligman, el budista Matthieu Ricard, el actor Leo Bassi entre otros, sobre el tema del éxito, como concepto de mil matices.
Ha dirigido y producido igualmente dos cortometrajes, el documental "Nadie Como Atenas" (2013), realizado con el reportero de l'Espresso Gianni Perrelli, elegido por Luca Zingaretti (Commissario Montalbano) como finalista del festival Hvm de Roma Cortona y seleccionado en siete festivales de tres continentes. Ha producido y codirigido el corto de no-ficción, basado en hechos reales, "AlmaMater" (2014), seleccionado en diez festivales internacionales y galardonado con un premio del público. Sus catálogos de arte plástico digital están distribuidos por la joint venture Leg Up, Tricera en Japón, saatchiart.com en Estados Unidos, 4D/Arty y flecha.es en España. Sus obras han sido seleccionadas en prestigiosas expos como el Premio Internacional de Arte Plástica Obra Abierta y se encuentran en *nft* en las plataformas Foundation.app y Opensea.
Licenciado en Derecho por la Universidad degli Studi di Perugia, Italia. Máster en "Fotografía y técnica de imagen", en Efti Madrid.

kantfish.com
artkantfish.com
kantfishproduction.com
Instagram: @kantfish_
Foundation.app/kantfish

KANTFISH

CRYPTOJUNGLA

EL LOW COST LLEGA A LA FINANZA

Este libro es una precuela en edición limitada de 500 copias, que incluye la obra inédita “btc/usdt”, 2021 en la portada.
Esta versión está disponible en edición limitada en *nft*[1].

“CRYPTO JUNGLA” 1ª edición: mayo 2021 - Precuela

Con la colaboración de Arantza Plazaola

Ediciones Kantfish - More Than Real
Mallorca - Islas Baleares - España

ISBN: 978-84-09-32612-9.
Información de registro 2105137821387

[1] La versión en edición limitada y tokenizada de este libro se encuentra en cryptonft.artkantfish.com

a Arantza.
Sin ella este libro no existiría.

INDICE

PREMISA

(Leer atentamente)

Este libro es una fotografía. Es una ventana donde informarse y vivir una historia real que revela muchos aspectos sorprendentes y útiles, análisis, noticias imprescindibles para descifrar el fenómeno bitcoin con todos sus corolarios.
Es una sorprendente aventura en primera persona, un estudio, una inmersión profunda, apasionante y hasta arriesgada, gracias a la cual pude ver de cerca lo que sucede en la CryptoJungla y descubrir las dinámicas que hacen que este fenómeno sea importante y crítico en el momento histórico que vivimos.
A través de esta visión cercana del mundo de bitcoin, blockchain, altcoin, *nft*, etc. es posible explorar los conceptos clave mostrados tal y como los he conocido directamente. Las experiencias personales van acompañadas de los testimonios de quienes ya abrazaron este nuevo horizonte tecnológico y cambiaron su vida o de quienes absolutamente no quieren adentrarse en el mundo bitcoin y tratan de crear confusión o intentan crear obstáculos sutiles y miméticos para evitarlo.
Una historia real a partir de la cual se puede formar una idea personal de esta revolución real que está a punto de entrar, y en verdad ya ha entrado, en la vida de todos.
Este es un "Manual de CryptoSupervivencia" para comprender el contexto, comprender cuál es realmente la revolución y ver de cerca cómo adentrarse en la red blockchain. He querido mezclar partes más técnicas que muestran todo lo que hice en este año de investigación, tal y como lo experimenté, con capítulos enteros de reflexiones

humanistas, sociales, imprescindibles para comprender lo que está pasando mundialmente.
Navegamos por el complejo mar de las cryptomonedas y la blockchain con el objetivo de entender los conceptos clave y ofrecer los detalles útiles para poder afrontar el fenómeno bitcoin y posiblemente ser parte activa y consciente del mismo o simplemente para formarse una opinión concreta sobre este tema de estricta actualidad.
Pasamos de comprender y enmarcar el fenómeno en su contexto, desde la experiencia directa comprando cryptomonedas - tanto como trader y como *hodler*[2]- hasta la entrada al mundo del arte con *nft* y las oportunidades de DeFi, las finanzas descentralizadas. Se analizan cuidadosamente la guerra con los bancos y las nuevas oportunidades de inversión. Se destacan los riesgos y posibilidades de un nuevo mundo financiero al alcance de quienes tienen una computadora y una conexión a Internet.
La información proporcionada en detalle es real y es una sorprendente exploración diaria de un nuevo mundo oculto y en expansión.
Bajo ninguna circunstancia las situaciones e historias mostradas deben interpretarse como un consejo financiero. Mi objetivo es informar sobre lo que realmente está pasando, pero no soy un trader profesional y estoy aprendiendo sobre la marcha.
Ante la confusión que despierta el mundo Bitcoin, la forma más adecuada de entenderlo es vivirlo, porque no es lo mismo tener una idea solo con noticias fragmentadas y muchas veces falsas o engañosas, que vivirla de primera mano. Es por eso que fui en primera persona, para observar de cerca y entender lo que este fenómeno esconde de positivo y negativo, pero no presto consejos de inversión y este libro no está destinado a dar consejos de inversión, aunque puede resultar muy útil para tener un mapa orgánico y tener una idea concreta de lo que sucede en el sotobosque crypto, de cómo funciona este extraño engranaje que esconde innumerables perspectivas muy seductoras o impredecibles.
La esperanza es que gracias a esta información, el lector pueda decidir libremente seguir estudiando y adentrarse en la CryptoJungla solo y de forma independiente.
Una cosa es cierta después de haber vivido intensamente esta experiencia. Antes de comprar cryptomonedas o, más aún, antes de

[2] Hodl es una palabra muy usada en el mundo de las cryptomonedas para describir el acto de comprar y reunir monedas para no gastarlas (academy.bit2me.com). En la CryptoJungla se utiliza indistintamente también la palabra hold.

hacer trading es fundamental estudiar, entrenarse y solo después de haber adquirido cierta confianza dar el paso adelante y lanzarse a la arena.

Recuerda que las historias de éxitos fantásticos esconden las nefastas desventuras de la mayoría de los neófitos que han regalado sus pertenencias al mercado.

Si quieres fomentar y contribuir a esta investigación y la información descentralizada puedes enviar el volumen que consideres oportuno de bitcoin y ether a estas direcciones.

RECEIVE ETHEREUM

0xc70e34Ff8441557A38f844e03128418D3DA22417

TRADE I[3]
Overture Thriller

[3] "Una operación de inversión es aquella que, después de realizar un análisis exhaustivo, promete la seguridad del principal y un adecuado rendimiento. Las operaciones que no satisfacen estos requisitos son especulativas". Dice la Biblia de los trader, "El inversor inteligente" de Benjamin Graham.

UNA NUEZ EN EL OCÉANO

Cómo las emociones crean tu fortuna

Click. Todo empezó como un gran error. En plena noche del 23 de febrero de 2021, entré en la arena casi sin darme cuenta para iniciar una profunda aventura llena de fuertes emociones.
En marzo del año anterior, creció dentro de mí el gran deseo de estudiar el fenómeno crypto. Quería saber lo que hace diez años era algo que sentía solo de manera tangencial, como el murmullo distante del océano. Podía oírlo, pero no podía distinguir el sonido de cada ola.
Quería acercarme y observar, sumergirme, porque cuando entro en el mar me siento parte de un mundo paralelo y la sensación es de fuerza. Una energía que me reconcilia conmigo mismo.
No sabía si ese océano virtual me devolvería a emociones similares, pero quería intentarlo de todos modos. Estaba seguro de que se trataba de algo que se necesita saber en este momento histórico.
Las noticias que llegan sobre bitcoin siempre están ligadas a grandes riquezas logradas en poco tiempo o a historias opacas no muy edificantes, pero solo cuando me sumergí en los suburbios de la información descubrí que detrás hay algo importante que está sucediendo en este periodo.
Decidí conocerlo de cerca, tocarlo con mi mano, sentir en mi piel y en mis entrañas las fuertes sensaciones que puede producir el mercado altamente volátil y comencé a comprar cryptomonedas. El primer motor fue el deseo de aprender, pero luego me di cuenta de que este nuevo fenómeno es muy interesante y va más allá de la especulación,

entrando pasas a formar parte de un club nuevo y explosivo, algo que la gente de las cryptomonedas considera grandioso.
En el futuro, ser propietario de cryptomonedas podría ser una salvación del temido colapso del sistema monetario tradicional. Podría ser una oportunidad para hacerse ultra rico. Podría ser la oportunidad de ser parte de una revolución que marca época.
Por otro lado, como piensan los detractores, podría ser una gran decepción colectiva que conducirá a la desesperación y al crack económico de quienes creyeron demasiado en este cambio.
En 2011 había pensado seriamente, pero al final no demasiado[4], en adentrarme en vivo en este nuevo mundo, pero fue el *lockdown* de 2020 lo que desencadenó la chispa decisiva. El *shock* de una nueva cotidianidad me dio tiempo para reflexionar y me llevó a este punto.
Las noticias de la peste moderna rebotaban enloquecidas y el toque de queda descendía sobre nuestras vidas cuando lancé con determinación una idea que fue acogida con entusiasmo por Rapanui, mi imprescindible *partner in crime* en esta aventura.
"Durante años he querido comprar bitcoin pero no sé cómo hacerlo", dije una mañana de marzo. Entre panes calientes, calles desiertas y una nueva normalidad, Rapanui desató su curiosidad y la de sus amigos ingenieros, una red de cerebros al servicio de la lógica. ¡Bingo!
Estudiamos por un lado nosotros y ellos por otro, compartiendo toda noticia útil. El cóctel de información nos llevó a dar el gran paso.
En poco tiempo estábamos listos para poner un pie con conciencia en lo que muchos llaman la mayor revolución moderna. No sin dudas. Pero con gran decisión.
Entré abriéndome paso a machete en una nebulosa de follaje, sin caminos marcados. Sin saberlo, habría sido absorbido por este tsunami de una manera que hasta ahora era inimaginable para mí.
El 20 de marzo de 2020, a las 3:48 pm, compré los primeros satoshi[5], fracciones de bitcoin. Un pequeño paso para mí, pero un gran paso para empezar a comprender esta revolución.
Esta extraña e interesante historia requiere de algunas premisas y conceptos importantes para enmarcar el fenómeno crypto y saber en

---

[4] En un próximo capítulo explico por qué.

[5] Aquí utilizo el término de forma no técnica, simplemente metafórica. Un satoshi normalmente es una fracción de bitcoin, concretamente cada bitcoin se puede dividir en 100,000,000 de "céntimos" llamados satoshi.

qué contexto nació la CryptoJungla. Esto es importante para evitar caer en los tópicos habituales que escuchamos continuamente, a diario, desde hace años.

Es obvio que, como cualquier otro fenómeno o manifestación humana, no es todo blanco o negro. No todo es positivo o negativo. Hay aspectos de esta revolución que son peligrosos y potencialmente negativos. Pero la realidad, a una mirada entendida, revela una puerta de entrada a un futuro inimaginable, estamos a un paso de vivir una década de euforia tecnológica y financiera. Unos nuevos años '20[6]. Una nueva era. Y, por definición, vale la pena estar preparados.

Creo que es fundamental conocer de cerca lo que pasa en la CryptoJungla, por eso me sumergí por mi cuenta y riesgo, para explorarlo y compartir las experiencias de un sotobosque no muy fácil de alcanzar por ahora.

Toda la información que reporto y que narro es real, son el resultado de la vivencia directa de primera mano, limitando al mínimo el Google-periodismo tan querido por los feudos de la comunicación, que se han acostumbrado a ver el mundo con prismáticos.

Estoy feliz que justo en estos días esté rebotando la idea concreta de impartir en las escuelas una nueva educación financiera[7], porque es fundamental para sobrevivir en un mundo que cambia y se transforma, completamente diferente a lo que nuestros profesores o padres intentaron enseñarnos.

Personalmente, siempre he echado en falta unos rudimentos de la cultura financiera. Después de licenciarme en Derecho y haber recorrido el periodismo en diferentes contextos, diferentes países, haber fundado o colaborado en diferentes startup o haber sido empujado por la corriente moderna a la vida de emprendedor, y terminar en el fantástico mundo del arte, me di cuenta de que tener una cultura financiera mejora tu relación con la sociedad, incluso si eres naturalmente alérgico a esta cultura. Que tú lo quieras o no, necesitas aprender a administrar tus finanzas. Cuanto antes lo aprendas, mejor. Cuanto antes descubras cómo ser tu propio banco, menos probabilidades tienes de ahogarte en el nuevo mundo. Por eso es importante saber cuáles son los nuevos productos financieros, cómo no dejar tu dinero en manos de los bancos por una erosión inaceptable, cómo defenderte en la jungla moderna, cómo buscar nuevas

[6] ¿Caminamos hacia unos locos años veinte?, El País abril 2021.

[7] "Escuela, la hora de la educación financiera", La Repubblica 2021.

oportunidades para multiplicar tus fondos y sobre todo cómo evitar ser el cordero sacrificado y perder tus posesiones como un desprevenido.
Este libro, que en esta edición de manera especial y limitada quiere ser una precuela[8], ofrece *input* para empezar a investigar personalmente de forma independiente y quiere facilitar una aproximación correcta y útil al mundo crypto.
Considero imprescindible analizar también el contexto para comprender en profundidad lo que está sucediendo. En qué mundo nació bitcoin.
La fractura generacional ha llegado a su punto culminante. La generación que surfeó felizmente los '80 ha perdido el tren tecnológico y cometió un gran error al dejar muy poco espacio de su viejo mundo para las nuevas generaciones. Contratos precarios, disminución del poder adquisitivo, terrible deuda pública, disminución drástica de los derechos laborales, aumento exponencial del autoritarismo, control, depresión. Aumento de la antisocialidad, del egoísmo y de la competitividad.
La nueva generación bautizada por Internet ha demostrado que al no encontrar espacio en el viejo mundo, se ha construido uno todo suyo, a medida, virtual, *low cost*, global, lleno de oportunidades y aparente confusión. Un mundo nuevo que funciona, a pesar de no ser entendido del todo por los "poderosos" anclados a su feudo. Este nuevo mundo ha demostrado ser poderoso, tan poderoso que es capaz de cambiar el futuro de nuestra civilización.
Mientras los ancianos "que importan" continúan ocupando sus puestos de liderazgo, con sus ideas *vintage* y su organización feudal, la atención de las masas se ha dirigido hacia otra parte creando un mundo nuevo y paralelo. No es secundario que esta generación sepa más que sus padres, antes era todo lo contrario, los ancianos eran los dueños del *know how*. Ahora los veinteañeros siguen su propio camino sin haber encontrado espacio en el mundo de sus padres y avanzan a velas desplegadas en el nuevo que están construyendo a base de clicks. No es casualidad que la revista Time dedicara una portada al "Niño del Año", que en ese caso era Gitanjali Rao, una quinceañera que inventó un instrumento capaz de detectar en un instante el plomo en el agua. O Malala Yousafzai la más joven ganadora del Nobel de la Paz. O Greta Thunberg que con una pancarta y una sólida base de redes sociales ha

[8] *Peto venia* por cada detalle imperfecto. Es una edición muy especial y lo es aún más con estos detalles que en las esperadas ediciones siguientes se pulirán a ciencia cierta.

sensibilizado al mundo sobre algo fundamental. No olvidemos a los jóvenes *changemakers* Larry Page (Google), Mark Zuckerberg (Facebook), Jan Koum (Whatsapp), solo por mencionar algunos.
Si queremos ser francos con la visión, los jóvenes han creado una red paralela que mueve una gran masa de consenso. Mueven enormes capitales, no siguen las reglas indicadas por sus progenitores y representan la sociedad étnicamente más heterogénea de la historia humana. Según una encuesta de Deloitte los jóvenes son más desconfiados hacia las empresas, el 76% de los menores de 35 años es consciente de que el business lleva adelante los intereses propios, en vez de los colectivos. Y el famoso trabajo fijo ya no es una ambición, según un estudio firmado por Pwc[9]. La disponibilidad 24/7 se ha convertido en una realidad. Los jóvenes quieren aportar, entregar un buen trabajo final en los tiempos marcados por ellos, y no perder el tiempo encerrados en un lugar concreto y marcados por ritmos ajenos.
Un panorama decididamente intrigante que muestra las condiciones para un gran viaje.
Decidí empezar a hablar de ello desde un punto completamente nuevo para mí, el trading.
Veremos juntos cómo ha ido con las palpitaciones que experimenté mientras operaba, comprando cryptomonedas y descubriendo el fascinante mundo de las finanza descentralizadas. Luego veremos algo fundamental para no dejarse engañar por la confusión mediática y poder poner el foco de atención en las nociones básicas para entender bitcoin y sus corolarios. Es siempre importante enmarcar el fenómeno también en su contexto y en el capítulo "Panorama" explicamos por qué bitcoin es una revolución copernicana en la estrategia monetaria global.
Muchas noticias e indicaciones acompañarán a este "Manual de CryptoSupervivencia" para estar preparados con un cuchillo entre los dientes para defenderse y ser protagonistas de este gran cambio.

[9] "Nativos digitales: así es como nuestros hijos toman el poder", La Repubblica 2021.

CUIDADO CON EL TRADING
La frontera del riesgo

Casi un año después de comprar los primeros satoshi, a finales de febrero, exactamente el día 23, todavía no sé por qué, algo sobrenatural me empujó a empezar a operar.
La primera noche de pasión resultaría literalmente histórica.
Mientras estudiaba libremente en Internet, un simple gesto automático casi inconsciente me llevó a encender mi *smartphone* y buscar el nuevo logo verde de la aplicación que había instalado unos días antes para hacer una simulación de trading y prepararme para entrar en este mundo totalmente misterioso para mí.
Desde hacía un tiempo estaba mirando "desde lejos" cómo se operaba, observando, leyendo, siguiendo los videos en Youtube, desvalijando la librería de Amazon, escuchando desde lejos a Rapanui con sus amigos cerebritos.
Ella había comenzado a despertar algunas sospechas en mí. Desde hacía algunos meses estaba pegada al teléfono como nunca antes. Respiraba un aire diferente al mío, estaba todo el día viviendo en un mundo paralelo. No lo entendía hasta el fondo, pero faltaba ya muy poco para vivirlo yo mismo en mis huesos.
Como suele ser el caso, cuanto más estudias, más gana el *scio me nihil scire*[10]. Sabía que no estaba listo en absoluto, pero algo no racional me empujaba a empezar esa misma noche.

[10] Sé que no sé nada, en latín.

En el mundo del trading, estas decisiones irracionales se definen como "emociones" y habría descubierto en mi piel que las emociones en el trading son muy malas consejeras.
No sabía, cuando hice click en ese icono verde, que terminaría en medio de altas olas, como una cáscara de nuez sacudida trágicamente, sin entender lo que estaba pasando.
Aunque supiera la teoría, más o menos, me estaba preparando para vivir realmente una nueva dimensión donde los sentimientos de rabia y paura[11] aparecen *ex abrupto*, crecen dentro del alma y se apoderan de ti. A decir verdad, también la paz y la euforia habrían acompañado muy de cerca al miedo.
Realmente, no tenía la menor idea de dónde iba a terminar.
Eran las 3 de la madrugada cuando abrí Quantfury, la aplicación con el icono verde de la que hablaba, que sospechosamente no está disponible en Estados Unidos y Canadá, y que la Cnmv[12] española denuncia como no autorizada[13]. En el sotobosque de las crypto, es una de las plataformas de trading más populares, especialmente para los trader hispanos y que todavía están verdes. Otros broker globalmente utilizados son Bybit o Phemex, que tienen un volumen mayor. En la maleza del sotobosque también te puedes encontrar con broker más pequeños como Bingbon. Para este tipo de trading también se utilizan los *exchange* centralizados de compra-venta, liderados por Binance, que tiene una sección específica para este tipo de operaciones. Binance se considera el mejor, pero no es exactamente intuitivo. Quantfury o Bingbon están hechos específicamente para permitir el acceso a los novatos, con unos pocos botones y gráfica muy intuitiva.
El hecho de que sea accesible para los novatos debe activar de inmediato los sistemas de alarma personal. Si no se pagan comisiones para activar las operaciones, si no se paga cuando las operaciones permanecen abiertas por muchos días, si no se paga cuando entras

[11] Miedo en italiano.

[12] Comisión Nacional Mercado de Valores, La Comisión Nacional del Mercado de Valores (CNMV) es un organismo regulador independiente adscrito a la Secretaría de Estado de Economía y Apoyo a la Empresa del Ministerio de Asuntos Económicos y Transformación Digital. Fundado en 1988, se encarga de la supervisión de los mercados de valores en España. (Wikipedia)

[13] Actualización: desde finales de abril ha sido aceptado como broker regulado en las Bahamas.

apalancado[14], como es el caso en plataformas profesionales[15], si todo es fácil, intuitivo, si también te "prestan" dinero para operar mucho más allá de tus posibilidades reales, obviamente debes saber desde el primer momento que cuando las cosas se manifiestan de esta manera en el mundo hiperbólicamente anti-solidario del capitalismo, esto significa que "el producto eres tú".
¿Qué significa? Estoy seguro de que sabes exactamente lo que eso significa. Y si este no fuera el caso, podría ser una llamada de atención y podría ser aconsejable dejar de lado la idea de operar en los broker.
Hay que ser lo suficientemente listo, cauteloso y desconfiado para no acabar en las fauces del mercado.
Nunca había pensado ni imaginado hacer trading. Podría admitir sin miedo que es la antítesis de lo que pensé que algún día aprendería. Por otro lado, siempre he sido inquieto y he optado por sumergirme continuamente en nuevos mundos para explorarlos y, en la medida de lo posible, contarlos.
La gran novedad de este fenómeno es precisamente el "fácil" acceso, el poder entrar en estos mercados que antes eran inaccesibles para la mayoría de las personas, con una barrera de entrada baja. Muy baja. Un teléfono inteligente, algunas habilidades tecnológicas y una conexión a Internet. Y esta facilidad representa un arma de doble filo Por un lado, ofrece una posibilidad democrática de acceder al mercado, pero hay que tener mucho cuidado porque el 70% de los usuarios pierde. Según muchos, esta cifra se eleva al 90%.
Mucha gente cree que el trading de bitcoin y cryptomonedas es una forma de enriquecerse. Y puede serlo, pero también es una forma de arruinarse, al menos con la misma magnitud.
En la práctica, para poder operar en Quantfury fue suficiente con abrir una cuenta en la app y enviar una determinada cantidad de bitcoin a la wallet[16], correspondiente al presupuesto que decidí dedicar a invertir.
Es absolutamente necesario saber siempre cuánto quieres perder sin remordimientos, es un cálculo obligatorio antes de comenzar y hay que tener en cuenta que este presupuesto puede desaparecer con la misma rapidez que su eventual multiplicación.

---

[14] En las próximas páginas explicaré qué significa.

[15] En las plataformas de trading tradicionales, las operaciones abiertas también se pagan en función del tiempo. Cuanto más dejes una operación abierta, tanto más pagas.

[16] La wallet es una billetera electrónica. Explicaré en detalle cómo elegí mis billeteras y cómo comencé a usarlas más adelante.

El envío de los fondos es "fácil", se escanea un QRcode[17] o se copia el larguísimo código, que representa la clave pública de tu billetera. Después del envío, los fondos llegan en pocos minutos, después de haber recibido todas las autorizaciones necesarias de la cadena de bloques que confirma el origen de los bitcoin, dando el visto bueno a la operación verificada.
En las app de trading hay multitud de pares de monedas que se pueden operar. Yo elegí el principal par de referencia btc/usdt, que marca el precio de bitcoin en relación al dólar.
En realidad, el mundo de las cryptomonedas toma como referencia el precio no del dólar tradicional, sino del usdt, una cryptomoneda que forma parte de la categoría de *stablecoin*, que mantiene un valor fijo con respecto a la moneda *fiat*[18], dólar estadounidense. Este detalle merece una fotografía aparte.
Fiat significa en latín "que se haga", metafóricamente "creado de la nada", según algunos también tiene una referencia bíblica "E Lux Fiat", que es "que se haga la luz". En la CryptoJungla se refiere a las monedas no garantizadas por un contravalor, como son las monedas oficiales emitidas por los Estados, que en los tiempos modernos se imprimen y ponen en circulación por la única voluntad del gobierno y tienen valor solo sobre la base de impuestos directos que vincula a sus ciudadanos. En consecuencia, los contribuyentes están obligados a buscar continuamente esta moneda a través del trabajo en la mayoría de los casos, para poder pagar dichos impuestos.
En otras palabras, el intercambio entre el propio tiempo y el trabajo produce la moneda que nos permitirá pagar los impuestos que impone el Estado.
Las monedas *fiat* no tienen un contravalor físico - hasta el siglo pasado era el oro - no tienen valor intrínseco y no son convertibles. No están "colateralizadas", por decirlo en la jerga técnica[19]. Este es el punto de

[17] El código QR (del código de respuesta rápida en inglés, "código de respuesta rápida") que solo necesitas fotografiar con tu *smartphone* para acceder a la información. En el caso de la billetera, la información es un código muy largo que identifica tu billetera. El código QR tiene muchas aplicaciones diferentes y en tiempos de covid se hizo popular para consultar menús en restaurantes, por ejemplo.

[18] *Fiat* representa un concepto importante en el mundo de las cryptomonedas y se refiere a monedas tradicionales como el euro, la libra, el dólar, etc

[19] "L'ordinamento bancario". Renzo Costi

distancia con respecto a bitcoin como veremos a continuación con detenimiento.

La *stablecoin* usdt fue creada por la empresa Tether con este fin y su valor fijo es el del dólar. Para siempre. Esto significa que la moneda usdt ha sido "programada" para que siempre tenga un valor de 1:1 frente al dólar[20].

A pesar de que detrás de esta moneda usdt esté en origen una historia opaca de bancos taiwaneses, alrededor del 80% del comercio de la cadena de bloques de Bitcoin se gestiona con referencia a esta moneda estable, que tiene la ventaja sobre otras cryptomonedas de permanecer protegida de la proverbial volatilidad que siempre ha caracterizado bitcoin y las altcoin[21]. Para intercambios es la más utilizada[22].

En la aplicación Quantfury hay dos botones grandes, comprar y vender, coronados por un número de siete dígitos que cambia continuamente y que indica el precio de mercado en tiempo real, o sea el valor de bitcoin expresado en dólares y referido a las cotizaciones de Binance[23].

El momento de entrar en el mercado es el concepto clave. Yo, en cambio, como neófito entré por primera vez sin tener una noción concreta al respecto.

Cuando crees que ha llegado el momento de entrar en el mercado, puedes utilizar el elocuente botón "Buy"[24], indicando la cantidad de budget que quieres invertir y, si lo deseas, también los muy importantes stop loss y target.

El stop loss es una orden de venta automática que actúa como protección y facilita la gestión de riesgo. Cuando compras bitcoin, por ejemplo, el stop loss debe estar por debajo de tu precio de entrada y sirve para limitar el daño en caso de una caída inesperada del precio.

---

[20] En verdad, debemos tener cuidado porque, junto con los colapsos importantes o los auges de bitcoin, las *stablecoin* también tienen un contragolpe y han marcado caídas o subidas de precio históricas, cortas pero intensas, durante un corto período de tiempo en los gráficos.

[21] Todas las cryptomonedas que no sean bitcoin, litecoin y ether se definen como altcoin.

[22] El dólar del mercado de Binance llamado busd también es ampliamente utilizado por los usuarios de esta plataforma, que es una de las más grandes del mundo.

[23] Binance es una plataforma de intercambio de cryptomonedas que permite comerciar más de 100 activos digitales. Desde 2018, es considerada la plataforma de intercambio con el mayor volumen comercial del mundo. (Wikipedia).

[24] Si tu apuesta es a que el precio subirá. Si se quiere invertir sobre la bajada el botón correcto será "Sell".

Con esta orden de venta automática evitas aumentar las pérdidas si baja el precio.
Al principio no tenía idea de cómo usar el stop loss y pensaba que fuera pan comido. En cambio, gradualmente comprendí a través de las primeras nociones prácticas que para realizar este tipo de cryptotrade es fundamental entender estos dos momentos: cuándo entrar y por lo tanto abrir una operación y cuándo poner (o no poner) el stop loss.
Otro factor estratégico es saber cuándo vender. El target se utiliza para indicar una orden de venta automática a un precio determinado superior al valor de entrada de la operación, asegurando por tanto beneficios.
Antes de entrar a operar debes tener una estrategia clara, que es el resultado de muchas variables. Con el tiempo he aprendido que la estrategia empieza por entrar en el momento adecuado y no en cualquier momento. Parece obvio, pero es el error más común entre los novatos.
No hay que entrar por la emoción. Entrar cuando todos entran no es una buena idea en absoluto. Asimismo, vender cuando todo el mundo vende es un suicidio que presagia la probable pérdida de tus fondos. Para decidir estas variables se necesita un poco de experiencia y mucha práctica acompañada del análisis de los gráficos del mercado.
El stop loss y el target son herramientas útiles, especialmente cuando no puedes seguir la tendencia del precio minuto a minuto. Por ejemplo, si estás durmiendo. O viajando. O estás en el trabajo y no puedes seguirle el ritmo. Son muy útiles también en épocas de gran volatilidad. Cuando el precio sube o baja de forma neurótica en unas horas puede arruinar la vida de miles de personas o invitar a todos a entrar en el Olimpo. En momentos de euforia o pánico, de hecho, puede suceder que las plataformas se ralenticen y muy a menudo no te permitan vender o comprar mientras ocurre algo importante. Imagínate una caída repentina en el precio y todos poseídos por el pánico corriendo para vender. La app se bloquea y tú no logras vender. Realmente sucede. Con una orden automática es más fácil que la operación sea exitosa.
Otro ejemplo. Imagina que estás durmiendo justo cuando el precio de bitcoin se desploma. Podrías despertarte y no tener más nada de los fondos que has invertido. O si el precio solo alcanza brevemente un pico muy alto, que podría brindarte tremendos beneficios si no has fijado el target perderías esta oportunidad.

Si no estableces este límite o estás pegado a la pantalla cada segundo o es muy difícil poder vender en el momento álgido.
Otro detalle que me llamó la atención, y que en realidad es fundamental, es la distinción entre comprar para hold y comprar para trade.
Cuando compré mis primeros bitcoin en Coinbase, o en Binance, o en crypto.com cambié dinero *fiat*, en mi caso euro, por bitcoin, u otras monedas como ether o ada, etc. Me convertí en el dueño de estas cryptomonedas, que guardé en mi billetera para *holdearlas*. Esta operación tiene como objetivo conservar estas monedas durante mucho tiempo, quizás semanas, meses o años, hasta que decida deshacerme de ellas por revalorización o pérdida de valor, o porque sean ya monedas de intercambio.
En muchas plataformas de trade, como la que estoy usando, el mecanismo es diferente. Quantfury está más cerca de un casino que de un mercado. Los bitcoin que se envían para empezar a invertir son reales, pero cuando entras a operar es todo un juego virtual, la plataforma simula la compra. En caso de ganar, la app deposita la cantidad de bitcoin reales que has ganado en la billetera de tu cuenta o quita de tu cuenta los bitcoin que has perdido. Pero en realidad durante la operación no estás comprando nada de nada. Está más cerca de una casa de apuestas que de un mercado real.

23 de febrero

En la noche del 23 de febrero entré sin mucha preparación y sin estrategia para iniciar una nueva operación y hacer por puro instinto lo que descubrí llamarse con el nombre de *scalping*, una especie de trading que se lleva a cabo prestando atención al gráfico de un minuto, de unos minutos o como máximo de una hora[25], donde compras y vendes en transacciones muy cortas, aprovechando cada mínima fluctuación en el precio. Entrar a jugar por instinto y sin una estrategia clara, segura y cerebral, es un acto de imprudencia que muy probablemente te lleve a ser el cordero del sacrificio. Hasta aquel momento solo había realizado algunas pruebas con pequeñas cifras para ver cómo funcionaba esta plataforma que había elegido por consejo de Rapanui y algún youtuber.

---

[25] Cada gráfico de precio de moneda se puede observar con diferentes temporalidades. Cada temporalidad sirve para un tipo de trading distinto.

Los ingenieros tienen una cabeza formateada para comprender ciertas lógicas creadas por sus pares (ingenieros y programadores a su vez) y tienen las herramientas para poder calcular matemáticamente todo lo que se necesita hacer para el salto a la arena. Además, usan Excel.
Este utilísimo y horrible software divide a la población en dos mitades, los que saben usarlo y los que no tienen ni idea. A mi pesar, tuve que aprender algunos rudimentos en una startup que operaba en Amazon que fundé y que me acompañó durante unos años. Sin Excel, operar con un broker como Quantfury se vuelve muy arriesgado. Entendería esto unas semanas después de mi comienzo kamikaze.
Con Rapanui solo había probado unas pocas decenas de minutos para familiarizarme con las herramientas, los botones, algunas configuraciones básicas.
Tengo una preparación tecnológica profesional desde hace mucho tiempo y tengo una habilidad para la tecnología, pero no es suficiente para comenzar a operar. Además soy humanista. Para este mundo paralelo, basado en un nuevo orden de cosas respecto al mundo actual, ser humanista complica las cosas.
En mi opinión, en estos ambientes, puede ser una fortaleza que aún no se comprende del todo.
Leyendo a uno de los más grandes gurú de todos los tiempos, autor del libro "El Inversor Inteligente" considerado la Biblia del trading, encontré algo fundamental, corroborado por la observación de caóticos youtubers que predican las estrategias más dispares.
Benjamin Graham[26], asegura que "El futuro de los precios de los valores no se puede predecir nunca". Es una realidad que hay que aceptar y como no es posible controlar el precio, lo único que nos queda por controlar es nuestra psicología. No es necesario ser matemático, ni tener estudios avanzados, según el autor, pero la verdadera característica es tener los nervios fuertes y saber lo que estás haciendo en todo momento, además de tener un bagaje de experiencia de las situaciones y una fuerte intuición.

[26] Londres, 8 de mayo de 1894 – 21 de septiembre de 1976 fue un inversionista, autor y profesor. Lo conocían como The Dean of Wall Street. Graham es considerado el padre del Value Investing (inversión en valor), una estrategia de inversión que empezó a enseñar en la Columbia Business School (Escuela de Negocios de Columbia) en 1928 y cuyo término refinó posteriormente a lo largo de las ediciones de su famoso libro Security Analysis (Análisis de Valores), coescrito con David Dodd. Wikipedia.

Apalancado

La primera operación, el 23 de febrero 2021, duró 30 segundos. Perdí inmediatamente. Volví a entrar enseguida para vengarme y la operación duró un minuto. Perdí otra vez. La tercera duró un minuto y cuarenta segundos. Otra pérdida. Finalmente en el cuarto intento entré bien, con suerte, y en 3 minutos logré cerrar en activo. Solo en la octava entrada logré volver a cerrar en verde.
Las entradas en estas plataformas pueden ser muy *picantes*, en el sentido de que si tu presupuesto es de 5 mil dólares, por ejemplo, puedes apostar con apalancamiento[27] hasta cuarenta mil dólares. Si tu presupuesto es de 25 mil dólares, puedes invertir con 500 mil dólares. Esto significa que si el precio sube, ganas a lo grande y puedes hacerte rico.
Una de las historias más increíbles que he conocido de primera mano se refiere a esta inversión "dopada". Hablaré de ello con entusiasmo y en detalle en las siguientes páginas.
Sin una idea clara y matemática de lo que estaba haciendo, comencé a invertir con un apalancamiento moderado de "x2.5". Cada aumento de precio generaba más del doble de beneficio y cada caída de precio tenía un valor análogo. El peligro de invertir "con apalancamiento" se debe a que las caídas de precios te hacen alcanzar tu límite más rápidamente, representado por tu stop loss o tu límite de presupuesto. Si has colocado un stop en una determinada cantidad, llegarás antes si has entrado apalancado, pero el peor escenario con diferencia es cuando la caída del precio es magna y no has colocado un stop loss. En este caso, si el precio baja un 30-40%, lo cual es muy posible en bitcoin, te liquidan con certeza llevándose por delante todos los fondos de tu cuenta.
Cuando entras con apalancamiento, debes asegurarte de que la probabilidad de un aumento de precio sea máxima. Si, por el contrario, cae, estás perdido. Y si el apalancamiento que has elegido es x50, una caída mínima en el precio de bitcoin del 2% te lleva derecho al matadero junto con todos sus fondos.
Es importante tener una capacidad de cálculo de nivel Excel para poder predecir posibles escenarios y calcular el margen máximo de descenso

[27] En la aplicación que utilicé, el nivel de apalancamiento es una configuración opcional. Lo llaman "trading power". Un arma que debe manejarse con sumo cuidado.

que puedes soportar para no perder todo tu presupuesto. Afortunadamente, Rapanui me proporcionó en las siguientes semanas una tabla donde puedo hacer los cálculos necesarios para estar al tanto de las muchas decisiones a tomar para invertir[28].
El apalancamiento es un arma de doble filo. El atractivo de ganar mucho en poco tiempo atrae a los novatos como moscas con miel y ahí se dispara la trampa sistemática del mercado que los enjaula y se los traga, liquidándolos por miles, cada minuto, cada hora, todos los días. Cuando todo el mundo dice que el precio subirá, baja. Cuando todo el mundo cree en el Apocalipsis, el precio va como un "rocket ship on its way to Mars", un cohete en camino a Marte. Cientos de miles de personas pierden cada segundo, se arruinan, hipotecan sus casas, pierden desesperadamente, para seguir el sueño de hacerse ricos en poco tiempo y poder estar tranquilos el resto de sus vidas.
El estar tranquilos se ha convertido en la nueva utopía de nuestro tiempo.
Luego están los duchos, que se informan, que siguen cálculos, que estudian el mercado todos los días, cada hora, que siguen simulaciones con sus propios cálculos en Excel y entran, siempre tomando riesgos, pero con los pies de plomo, con seguridad de que si las cosas salen mal, ellos saben qué hacer. Y con un estudio de riesgos que te lleva a saber cuánto invertir y cuánto eventualmente perder en cada operación y en el portafolio de todas tus operaciones. Así si pierdes, por lo menos no pierdes todo de una sola vez.

Sangre fría

Aquella noche de febrero era yo el pollo a desplumar. Tenía todas las credenciales para perder. Sin estrategia, sin conocer los trucos del trader, sin idea matemática. Sin un verdadero gurú a quien seguir. Sin conocer los análisis de precios detallados del periodo anterior, de hace un mes y de la semana pasada. De ayer. De hace unas horas.
Durante dos horas miré ansiosamente una línea roja o verde que se formaba en la pantalla del *smartphone*, en plena noche, con los ojos llenos de ganas de dormir. El "juego" se había convertido en un gesto compulsivo y un tremendo deseo de venganza para no perder ni un

[28] Para descargar este Excel, dejo por gentil cortesía de Rapanui este enlace excel.kantfish.com.

euro. Debo admitir que instintivamente acerté, invertir para no perder ya es un gran objetivo.
No tenía ninguna intención de terminar mi primera sesión con una pérdida. Así que entre altos y bajos completé dos horas de trading inconsciente. En la profundidad de la noche desde las 00:27 hasta las dos horas siguientes cerré veintitrés operaciones. Hasta que bitcoin alcanzó el valor de 52.546 dólares. Quería entrar una última vez, la vigésimo cuarta, para cerrar en positivo y acostarme.
Eran las dos, diecinueve minutos y veintiocho segundos cuando volví a presionar el botón "Comprar".
Ipso facto en el gráfico comenzaron a formarse unas velas rojas[29], una tras otra.
Bitcoin había estado en *alcista*[30] durante semanas donde habíamos pasado de 11 mil dólares en octubre a 58 mil dólares el 21 de febrero. Bitcoin llegaba a esa noche después de una marcha triunfal.
Justo cuando comencé a dar mi primer paso hacia el tormentoso mar del cryptotrading, experimenté la emoción thriller de una operación abierta durante lo que será recordada como la caída más rápida en la historia de bitcoin.
De hecho, nunca antes había sucedido en toda la historia de esta cryptomoneda que cayera 10 mil dólares en tan poco tiempo.
Fui testigo de este colapso con asombro sin tener la menor idea de qué hacer. En poco tiempo vi los números rojos que indicaban mis pérdidas. Aumentaban, aumentaban. Eran enormes, mucho más de lo que podía haber previsto. Cifras inaceptables.
La confusión se apoderó de mí. Los sentimientos de culpa empezaron a bailar en círculo. El sudor frío. La espera. La sensación de haber cometido un disparate sensacional. La brújula mental que da vueltas sin tomar dirección. Y la cifra corre, los caracteres se suceden como locos hacia una dramática cuenta atrás. El mundo entero está pegado a los gráficos siguiendo a quien cubriéndose con la piel del oso está hundiendo bitcoin. Incluso la app está graciosamente teñida de rojo en

---

[29] En el gráfico se forman cada minuto las así llamadas "velas" que pueden ser rojas o verdes. Si son verdes significa que el precio sube, si son rojas el precio baja. Estas velas tienen "mechas", que indican subidas o bajadas repentinas muy peligrosas.

[30] La "Tendencia alcista" se refiere a un movimiento ascendente de precios de manera sostenida en un periodo de tiempo determinado. A esta tendencia también se le denomina con el anglicismo 'bull market' y se caracteriza por un sentimiento de optimismo, de confianza y porque la presión de la demanda supera a la de la oferta, de ahí que refleje una subida de precios. El contrario del bull es el bear que indica una tendencia a la baja.

estos momentos. Tenía la terrible sensación de que recordaría ese momento como una rotunda derrota.
En muy poco tiempo me encontré en medio del océano sacudido por las olas como una cáscara de nuez. Una hora después estaba perdiendo cifras inimaginables. Además, era noche. Una noche honda e inquietante, no podía llamar a nadie.
No podía imaginar la llamada "Hola, perdón si te despierto, estoy desangrándome y no sé qué hacer, ¿me ayudas?". *Improponible.*
Una hora y media después, con mis ojos vidriosos pegados al teléfono y al ordenador, vi crecer una burbuja de oxígeno, un lento ascenso que me devolvió casi al precio de entrada con una mínima pérdida. Estaba casi al precio de entrada. Quizás era el final de la tragedia.
Justo en ese momento apareció la figura fantasmal de la codicia. Bailando con sus velos oscuros acepté mantener la posición abierta. "Esto va para arriba, no pierdas la ocasión" me decía la diosa de la codicia.
En un momento así se delata la poca experiencia y la preparación psicológica, absolutamente necesaria, además de la ausencia de un estudio de riesgo. Cuando sube el precio y no tienes parámetros para aferrarte piensas que todo ha sido un susto y que la marcha triunfal seguirá. ¿Pensé eso basado en qué? Basado en absolutamente nada. Y ahí radica el error. Moverse solo por emociones es lo peor que puede hacer un trader. En una fase de volatilidad, si el precio sube, es una fortuna, un regalo divino, y es el momento perfecto para tomar ganancias por pequeñas que sean y cerrar la operación de forma positiva.
En mi caso, las ganas de sacar mucho más beneficios y no perder un céntimo me hicieron decidir no vender y fue el segundo gran error de la noche.
A los pocos minutos fui arrastrado, como por una fuerte resaca que me empujó lejos de la orilla. Un grave error. En las horas siguientes perdí de vista la costa y me encontré en mar abierto sin chaleco salvavidas. Estaba perdiendo cuatro veces más que unas horas antes. Estaba perdiendo demasiado. El sudor frío, la confusión y la ira se habían convertido en parte de mí.

Cabeza bien alta y sobre todo fría

Afortunadamente, en las semanas de preparación había aprendido algo y sabía que lo único que podía salvarme era la información, no la emoción. Después de recuperar la posesión de mí mismo, comencé a

navegar por los recuerdos para encontrar a uno de esos gurú que seguía Rapanui, pero no estaba seguro de sus apodos, así que traté de encontrarlos en Twitter.
Esta también fue una idea desafortunada.
Twitter es una fuente perversa de información sobre bitcoin, porque se concede preferiblemente a los sabores fuertes y a los titulares impactantes. Los *tweet* ya hablaban de la extinción de bitcoin. Era el final inesperado. Una tragedia cósmica. Bitcoin habría terminado en cero y con él también todo mi presupuesto y mi futuro como trader explorador. Qué forma más paradójica de empezar a hacer trading. Un paso y se desató el Apocalipsis.
Twitter es una guarida de información contradictoria, donde encuentras todo y lo contrario de todo. Un caos de sádicos jugando con el miedo.
Cambié a Youtube, con la esperanza de cruzarme con los "expertos" de los que había oído hablar en las semanas anteriores.
Comenzaron a publicar sus análisis en sus canales habituales al amanecer. Verdaderas "breaking news" de tipos muy extraños.
La caída libre fue grave, mereció toda la atención del mundo.
Después de los primeros análisis, comencé a comprender un poco más la situación real y poco a poco volví a la tranquilidad. El valor de bitcoin volvería a subir, en unos días, dijeron. Pero nadie sabía hasta dónde llegaría la bajada. Cuando el valor baja repentinamente, se corta y acumula mucha liquidez que los trader más inexpertos dejan a merced de los tiburones. Es un juego despiadado. Los pollos por un lado y los profesionales por otro.
Sabía que yo era el pollo, pero no tenía ganas de cerrar en pérdida bajo ningún concepto.
La alternativa, para intentar resumirlo en unas pocas variables, estaba entre vender de inmediato y perder un buen porcentaje de mi presupuesto total o esperar y arriesgarlo todo. Si la bajada del precio hubiera alcanzado la improbable cifra de 35 mil dólares, lo cual era poco probable pero siempre posible dada la volatilidad y el historial de bitcoin, realmente lo habría perdido todo. Siguiendo a un youtuber tras otro y con la mirada pegada a las velas del gráfico que se sucedían, llegué a la mañana siguiente. Sin dormir seguí estudiando, leyendo y escuchando. Hasta que colapsé, con una certeza. Me aferré a una frase de un youtuber "Si no vendes, no pierdes".
No me iba a rendir. No me habría abrumado el miedo y por tanto no habría vendido, con el infausto objetivo de "no seguir perdiendo".

La gran noticia era que finalmente tenía una microestrategia. Me resistiría, arriesgándolo todo, hasta la subida del precio.
Con las primeras luces del amanecer me encontré con Rapanui quien, abrumada, me contó su larga noche muy parecida a la mía. Mal común significa alegría.
Inmediatamente comenzamos a estudiar la situación para adoptar una estrategia común.
Dentro de mí no podía creer haber entrado en el peor momento de todos los tiempos, pero había entendido que la única forma de salir era estudiar y mantener los nervios de acero.
La agonía duró días y días. Los gráficos agregaron velas verdes y rojas sin grandes oscilaciones. La tensión seguía sin dar un veredicto. Descubrí que los optimistas empedernidos empezaban a ajustar las previsiones a la baja, los que hasta ahora querían el bitcoin dirigido a 100 mil dólares. Los pesimistas lo mandaban a cero. Como siempre.
De esto deduje una cosa fundamental. Cada vez que hay una caída, el miedo invade todos los canales de comunicación y el mercado. Así como cuando la euforia se apodera del precio, la vida se vuelve rosa para el ejército de inversores. A menudo me pregunto si hemos venido a este mundo para ser felices cuando la confianza global nos hace comprar algo y nos deprimimos cuando esa confianza cae. Hemos venido al mundo para ser felices cuando tenemos éxito y hacemos una apuesta. Y esto es todo. Estamos convencidos del éxito cuando nos alineamos con otros en una idea exitosa.
A menudo me pregunto qué es el éxito.
He estado pensando mucho en el éxito durante los últimos años. Probablemente volveré al tema del éxito en este libro, pero ahora mismo el único éxito que veo en el horizonte diario es salir de esta angustiosa situación y no perderlo todo.
Lo que sucedió después de esa noche fue impredecible.
Antes de contarlo, retrocedamos dos pasos. Porque, antes de continuar, también es importante explicar por qué escribí este libro.

EL LOW COST LLEGA A LA FINANZA

Y no hay vuelta atrás

MR. LOW COST
Una aventura revolucionaria

Me hacen sonreír todos
los que siguen creyendo,
a pesar de los esfuerzos y la evidencia
que *low cost* significa "pagar poco".

El paralelo entre el fenómeno del bajo coste y el de las crypto me pareció evidente de inmediato. En algunos aspectos es un *déjà vu*. Entender esta afinidad nos acerca a una mejor comprensión del nuevo fenómeno blockchain y sus múltiples corolarios, entre los que destacan las cryptomonedas, *in primis* bitcoin.
Hace años me embarqué en una gran aventura ligada al fenómeno del *low cost* con el objetivo de arrojar luz en favor de los lectores de Italia y España confundidos por una distonía de información que aumentaba la niebla y la confusión sobre el tema.
Estaba decidido a ofrecer un punto de referencia seguro que ayudara a entender que las aerolíneas de bajo coste no eran peligrosas, que viajar con ellas era sumamente fácil y que representaban - y esta era la parte importante, con implicaciones sociales relevantes - una estrategia empresarial más eficaz con respecto a la monopolista vista hasta entonces. El motivo que me impulsó a analizar este fenómeno fue sobre todo social. Tener la oportunidad de viajar libremente y conocer nuevas perspectivas es un excelente primer paso para la comunidad. Mejora tu propia vida y si los individuos progresan en su bienestar, esta dinámica virtuosa también se refleja colectivamente.
Aparte de este impulso fundamental, me fascinó un fenómeno revolucionario como el *low cost*, capaz de cambiar nuestras vidas y alterar el mercado de la aviación civil gracias a una visión estratégica diferente e innovadora.

En la década comprendida entre el cambio de siglo y 2010, se perfilaba un enorme progreso. Hasta ese momento viajar en avión había sido un auténtico lujo, ir de Roma a Madrid costaba el equivalente, en poder adquisitivo, de 300-400 euros.
En los '90, coincidiendo con el inicio del fenómeno del *low cost* en Europa (en Estados Unidos nació la lógica del *low cost* en los '60) comencé a percibir una gran confusión en la información.
Cuando iba al extranjero, a menudo tomaba el autobús, veinte horas de viaje romántico por carretera. Cuando empezaron a aparecer las *low cost*, me parecía imposible que pudieras usar un avión gastando como un bus. Me preguntaba, ¿son aviones peligrosos? ¿Dónde está el truco para viajar con algunas decenas de euros mientras las aerolíneas nacionales seguían luciendo tarifas de doble cero para vuelos de dos o tres horas? ¿Son solo mentiras? Investigando para Il Messaggero, en Umbría, al principio y luego durante años en l'Espresso, XL Semanal en España, Il Venerdí di Repubblica, Rolling Stone, entre otros periódicos, entendí el alcance de la revolución del bajo coste que subyace a una forma más eficaz de concebir el negocio. Así, entre los numerosos reportajes, nació el libro "La Vuelta a Europa con 30 €" editado por Feltrinelli, que despertó el interés de los medios por la magnitud del impacto del fenómeno *low cost* en la economía y en la sociedad. Las empresas de bajo coste cambiaron las reglas del mercado, los monopolistas tuvieron que ceder a la nueva lógica, revolucionando profundamente su negocio.
Los ciudadanos europeos nunca han estado tan unidos como con la llegada de las aerolíneas de bajo coste.
Parece extraño para las nuevas generaciones, pero antes de las *low cost* viajar en avión era un verdadero lujo, mientras que ahora ir a visitar a tu familia a otro país, visitar amigos, amantes, viajar por negocios, por turismo, se ha convertido en un gesto diario al alcance de todos.
Desde estudiantes hasta la reina Isabel de Inglaterra, todos terminaron volando *low cost*. Algunos con entusiasmo, otros con los dientes apretados. Roberto Colaninno, entonces presidente de Alitalia, me respondió en un presencial televisivo en el canal "La 7" bajo la dirección orquestal de la periodista Myrta Merlino que no había viajado y tampoco viajaría ni muerto en *low cost*, demostrando un hambre enorme de eficacia e innovación.
Cuando presioné para preguntar por qué Ryanair estaba adelantando a Alitalia en vuelos domésticos, la Merlino arrojó agua al fuego y nunca volvió a darme la palabra.

Un día me encontré en el puente aéreo de la T4 de Madrid Barajas con Álex Cruz, que iniciaba su andadura al frente de la *low cost* Clickair. Me dijo que para entender bien el fenómeno viajó por el mundo con empresas que portaban esta filosofía. Álex Cruz se convertiría en unos años en director ejecutivo de British Airways.
Mientras Colaninno se negaba a aceptar y comprender la lógica del bajo coste, en ese periodo Ryanair superó a Alitalia también como vuelos internos en el Bel Paese. Alitalia en la década del 2000 perdía un millón de euros al día y aún hoy continúa su declive pagado con el dinero de los contribuyentes italianos. Es un bien de Estado y hay que conservarlo, es la lógica.
Pero las aberraciones que siguieron fueron tremendas y dolorosas económicamente. Debido a la ineficiencia de la empresa, los ciudadanos italianos, según la oscura lógica de "quién manda", no tenían que entender nada sobre las *low cost*. El descrédito gratuito sólo sirvió para proteger el feudo arruinado de la compañía de bandera a expensas de la información de los italianos. Te daré un ejemplo.
Después de la publicación del libro, la primera televisión que me llamó fue la Rai, la televisión nacional. Para llegar desde Madrid, aceptaron con mucho gusto mi oferta de organizar yo mismo la compra del billete de avión, ya que suponía un coste menor que un trayecto en taxi, a pesar de que ellos tenían firmado un acuerdo con Alitalia para la compra de billetes aéreos. Con Alitalia el vuelo habría costado como un Madrid - Nueva York. Un chofer con enormes gafas de marca me recogió en Fiumicino para llevarme a los estudios de Roma. En el camino me habló de un actor famoso que había estado en ese auto justo antes y se estaba besando con otro hombre. El chofer que hablaba en dialecto romano tiró algunas obscenidades homófobas fuera de lugar, buscando complicidad, que obviamente no correspondí, invitándolo a recomponerse. Disgustado, llegué a los estudios.
La primera sorpresa fue el edificio que me recordó a una vieja escuela secundaria en ruinas. Una joven me recibió. Pregunté dónde dejar el equipaje y se sorprendió, subrayando que podía dejarlo en una habitación destartalada "bajo mi propio riesgo". Podrían robarlo.
Empezamos bien, pensé. Después de eso, fuimos al *backstage* donde la escena era tremenda. Un tipo con la cabeza inclinada hacia atrás dormía profundamente. Otros bromeaban en dialecto romano. Dos invitados estaban encorbatados y "microfoneados", listos para entrar en escena. Llevábamos dos semanas preparando mi entrevista. O mejor dicho, la había preparado yo mismo, había escrito las preguntas y también las

respuestas. Ensayamos la entrevista por teléfono varias veces y todo estaba calculado al milímetro. Por mi parte, el objetivo claro y decisivo era informar.
Cuando llegó mi turno, las luces se atenuaron, se encendieron unas pantallas gigantes y dos focos apuntaron a los dos únicos taburetes del estudio. Uno para mí, otro para la presentadora. El presentador, que yo siempre había visto en la pequeña pantalla de casa, nos había dejado el campo a los dos.
La periodista comenzó con las preguntas, en las pantallas gigantes aparecían los titulares de La Repubblica y Corriere della Sera que decían más o menos así: "Una *low cost* cae en Madrid". Lancé la primicia en directo a nivel nacional, ya que Spanair, que acababa de sufrir el trágico accidente fatal en la pista del aeropuerto de Madrid Barajas Adolfo Suárez, no era una *low cost.* No tenía nada que ver con el bajo coste. La periodista se sorprendió.
Seguimos charlando pacíficamente en la línea de la entrevista pactada, cuando hacia el final de manera sorprendente, el famoso presentador emergió de la oscuridad. "Estáis confeccionando una fantástica promoción de las *low cost*", dijo mientras con las manos creaba un enorme círculo imaginario. Me quedé estremecido. No entendía de dónde venía aquel golpe y por qué. Además, había ido todo exactamente como en los ensayos realizados durante las dos semanas anteriores. Respondí desconcertado: "Soy periodista y no estoy haciendo ninguna promoción, trato de informar y las *low cost* ni siquiera me han regalado un avión de plástico" y continué "También he escrito todo un capítulo sobre los puntos negros de empresas de bajo coste, no sé por tanto de lo que está hablando".
El presentador murmuró algo y en unos segundos estuvimos fuera del aire, se encendieron las luces y ahí entendí lo que había pasado.
Pedí explicaciones y el presentador me dijo textualmente "Mañana Alitalia *mi fa un culo così*[31]. Habéis dicho Ryanair y Easyjet demasiadas veces". En ese momento se me heló la sangre. Era evidente que su preocupación no era informar, sino que el objetivo era desinformar para no recibir presuntas presiones de la aerolínea nacional. Y luego pensé, habéis tenido dos semanas, ¿os disteis cuenta solo ahora que íbamos a hablar de *low cost* en vivo a nivel nacional?
Esta historia es un excelente paradigma, al igual que la anterior con Colaninno. Era necesario informar, pero no demasiado.

[31] Me va a joder.

Probablemente se esperaban a un joven que solo quería pagar poco, pero no habían entendido nada sobre el fenómeno y la revolución en marcha.
Para muchos, es normal crear confusión sobre algo que puede ayudar a la comunidad a mejorar. Como si fuera normal crear confusión en los espectadores. No lo entiendo y me parece horrible.
A lo largo de los años he recibido muchos correos electrónicos de lectores que me agradecían por haber aclarado algo que podía ser útil para todos.
En las redacciones donde trabajaba, muchos compañeros me pidieron que tuviera la amabilidad de comprarles billetes de las *low cost* cuando eran una novedad y durante años me pidieron consejos útiles para viajar con estas compañías. Muchos amigos han viajado por toda Europa con mi ayuda. Desde Calabria, Italia, un lector me dijo que había empezado un blog sobre *low cost* después de haber leído mi libro y este se había convertido en su trabajo. Una chica de Suiza me escribió que se había reído mucho con mi libro. Esto también me hizo muy feliz.
La revolución de la eficiencia no fue bien recibida por los Estados y especialmente por las compañías de bandera, hasta entonces monopolistas del sector con el apoyo del gobierno central y fieras portadoras del orgullo nacional, porque admitir la propia ineficiencia no está previsto en el contrato colectivo.
El *low cost* ha puesto a la vista de todos las deficiencia del sistema antiguo y ha revolucionado el sector con innovaciones epocales, como el uso de Internet para vender los billetes y la consecuente invención del billete electrónico a finales de los '90 - en concreto fue idea de Stelios Haji- Ioannou en el '98 -, luego copiado por todas las compañías aéreas del mundo.
Cuando Stelios fundó Easyjet, la única forma de comprar billetes era a través de un número de teléfono gigante que destacaba en los fuselajes de los aviones. Los clientes llamaban y reservaban sus vuelos. Stelios consideró que la llegada de Internet era algo grande y, fiel a la investigación y la innovación continua propias de las empresas de bajo coste, decidió intentarlo. La página web de Easyjet era estática con un enorme letrero de colores, unas luces horribles que la rodeaban e indicaban un nuevo número de teléfono que se había dedicado exclusivamente a los clientes de Internet. Cuando lo vi por primera vez, me estremecí por la estética, pero aparentemente funcionó.

El experimento fue así. Colocaron los dos únicos teléfonos que existían en su oficina en el aeropuerto de Luton uno al lado del otro. Uno estaba asociado con el gran número escrito en el fuselaje del Airbus de Easyjet. El otro estaba asociado al número que aparecía en la página web de la empresa. Este último se incendió, no podía dejar de sonar.
Internet atraía a muchos más pasajeros, el experimento había funcionado. De ahí nació la idea, realizada gracias a las innovaciones tecnológicas de la época, de crear un billete electrónico comprado íntegramente online. Como sabemos, fue la revolución.
Después de unos años, todas las empresas del mundo copiaron a Easyjet. Si se presta la suficiente atención, el concepto *low cost* no significa "pagar poco"[32] sino que es una estrategia de eficiencia, significa nueva tecnología, nuevo uso de la web, nuevas estrategias de marketing, nuevas ideas, nueva organización y en el caso de las aerolíneas también nuevas flotas con aviones modernos.
Nunca he estado completamente convencido de que el capitalismo sin correcciones, *tout court*[33] y despiadado, sea una buena opción para la colectividad y el progreso de la especie humana. Las *low cost* representan el *non plus ultra* del capitalismo y en este sentido estoy seguro de que deberíamos mejorar el modelo actual de sociedad.
Pero dentro del capitalismo el modelo *low cost* significa nos guste o no, una mejor estrategia.
Sabemos que las *low cost* han generado también aspectos negativos como la reducción de los derechos de los trabajadores, la masificación de turistas en los aeropuertos operados por las compañías *low cost*, la caída en picado de la atención al cliente, por nombrar solo algunos ejemplos de los puntos negros del éxito de estas empresas. En el lado positivo, han permitido que millones de personas abran sus horizontes personales o profesionales.
A pesar de que las poderosas fuerzas nacionales hicieron todo lo posible para ponerlos en una mala posición, finalmente ganó el veredicto a los ojos de los consumidores. Funcionan mejor y cuestan menos para los pasajeros.

---

[32] Esto es *low fare* no *low cost*.

[33] A secas, en breve, sin ulteriores explicaciones.

¿Qué tienen que ver los aviones de bajo coste con Bitcoin[34]?

En los últimos años, el fenómeno *low cost* ha llegado a las finanzas después de haber transformado casi todos los sectores.
Asistimos al ataque definitivo en este período.
El *low cost,* o la lógica de la eficiencia- como hemos recordado brevemente en este contexto -, de la tecnología, de la innovación ya ha lanzado el ataque a la vieja forma de gestionar las finanzas proponiendo una revolución copernicana que nos está haciendo transbordar del centralismo a un sistema descentralizado.
Nuestra vida filtrada exclusivamente por los bancos parece haber llegado al fin de su ciclo y se abre la era en la que nosotros mismos podemos ser el banco y, por tanto, protagonistas de nuestras finanzas. Cada uno tendrá la oportunidad de administrar sus activos sin intermediarios y podrá usar sus finanzas libremente.
Con este nuevo sistema basado en blockchain, se puede elegir qué moneda intercambiar con otra persona, sin intermediarios, de forma rápida, 24 horas al día, 7 días a la semana y sin censura. En el futuro, quizás se amplíe la posibilidad de tener nuestra propia moneda personal. Además, la blockchain para intercambios entre personas, *peer to peer,* tiene costes mucho más bajos que el sistema tradicional.
Hasta ahora, el modelo financiero global ha estado dictado por un megafiltro centralizado que decide todo. Los gobiernos y los bancos deciden quién puede tener dinero y quién no. Quién es digno de un préstamo y quién no. Ellos deciden si puedes gastar tu dinero y cómo. Ellos deciden libremente si aplican nuevas comisiones y muchas veces lo hacen como un subterfugio, una sorpresa desagradable y silenciosa en cada una de nuestras cuentas bancarias. En la encuesta de Ocu, organización de consumidores en España, entre el 30 y el 50% de clientes de los bancos aseguran que incurrieron en estas comisiones ocultas[35]. Los bancos y el gobierno pueden embargar tu cuenta, montar un corralito de un día para otro. Todos tus ahorros de repente se convierten en cenizas. Paypal puede bloquear tu cuenta solo porque esté inactiva durante un tiempo. Con tus fondo dentro.

---

[34] La diferencia entre mayúsculas y minúsculas en el mundo de las cryptomonedas se refiere a la blockchain o a la moneda. En términos concretos, "Bitcoin" es la cadena de bloques, mientras que "bitcoin" es la moneda.

[35] "Dinero y derechos" Ocu, mayo 2021.

Junto a la falta de libertad, como corolario también hay un tremendo déficit organizativo y tecnológico. Enormes edificios, enormes gastos, costosas sucursales diseminadas por todo el territorio y ejércitos de personas que realizan a menudo funciones de dudosa utilidad. Una estructura mastodóntica donde incluso una operación simple como enviar dinero, se convierte en algo costoso y difícil. Si realizas una transferencia bancaria, es cara y lenta. Puede tardar días. Cada día a una determinada hora los bancos no envían datos. Los fines de semana tampoco. Y su función de garantía se ha visto en toda su efectividad en el crack de los famosos derivados de 2008. Si pides un préstamo para llevar un negocio, un restaurante por ejemplo, después de todos los sacrificios para tener un capital mínimo para empezar, llegas con el sombrero en mano pidiendo ayuda del banco. Y el banco te dice que no. Otro te dice que no. Y la lógica de qué impulsar en esta sociedad y qué no, qué hacer prosperar y qué no, está demasiado sesgada hacia la producción material.

Los últimos diez años han llevado a la población a tener una nueva idea de la relación con los bancos.

Algo no está bien en la ecuación. Cuando un banco cae, todos saldamos las deudas del banco. Una lógica que, evidentemente, no es muy eficaz. Si esto es el resultado de una estrategia orquestada o no, es indiferente. La mayoría de los ciudadanos quieren vivir su corta vida con mayor equilibrio y cuando se les propone un modelo de convivencia más eficaz, sin duda lo siguen. En tal escenario, Bitcoin, como tecnología, no como moneda, es una chispa en un lago de gasolina.

La transparencia del sistema blockchain y el cambio en la estructura independiente descentralizada de conexiones sugieren un progreso muy atractivo para la comunidad.

Difícilmente renunciaremos a esta nueva tecnología. Así como hemos demostrado en las últimas décadas que no queremos renunciar a pesar de todo a la lógica *low cost*.

BITCOIN EL REY DE LA FORESTA

Bienvenidos a la CryptoJungla

Bitcoin & bitcoin

Parece lo mismo pero no lo es

Si Bitcoin termina teniendo éxito, será la prueba cierta de que hemos encontrado un invento tan importante como la imprenta que representaba la producción descentralizada de la información, como Internet que es la revolución de la comunicación y contenidos descentralizados. Si nos remontamos a los cimientos de nuestra sociedad moderna nuestros Estados han tenido un progreso histórico con la descentralización de los poderes entre el legislativo, el ejecutivo y el judicial. Una división intuida y teorizada por Platón, Aristóteles, Locke y que luego ha tenido en Charles-Louis de Secondat, señor de La Brède y barón de Montesquieu el definitivo sello de la moderna descentralización del poder en la base de nuestra actual democracia liberal.

Si entiendes cómo funciona Bitcoin, entiendes por qué se puede convertir en una fuerza para mejorar el mundo[36]. Un instrumento útil para que la humanidad pueda colaborar a una escala que era antes inimaginable.

Todo empezó en una habitación oscura con un tictac perpetuo que llenaba el silencio de cada noche. Mientras todos dormían, estudió cómo cambiar el mundo. Un día, otro día y otro. Pasaron muchos años estudiando su precioso proyecto, antes de llegar al protocolo definitivo. Algo andaba mal colectivamente y necesitaba ser remediado. Había trabajado duro para llegar tan lejos, había pensado en cada detalle.

---

[36] "Inventemos Bitcoin. La explicación sobre el primer dinero verdaderamente escaso", Yan Pritzker.

Una nueva estrategia basada en la tecnología cambiaría las cosas y este cambio de perspectiva no era para sí mismo - esto no habría sido lo menos importante - sino que sería una herramienta útil para la humanidad. Trabajó duro programando esta maravillosa máquina virtual. Mientras reescribía la historia del hombre, Satoshi Nakamoto, este era su nombre, también pensó en cómo desaparecer por el resto de su vida. Planeó todo al milímetro, primero creando este algoritmo con vida llamado Bitcoin que daría a luz al mundo el bitcoin, luego pensó cómo vivir cambiando su propia identidad para desaparecer en la nada.
El 1 de noviembre de 2008, Satoshi envió un mensaje a una lista de correo[37]. El mensaje "Bitcoin P2P e-cash paper" contenía la breve descripción de un sistema monetario *peer to peer* que no está basado en terceros de confianza.
El link del mensaje contenía un documento de nueve páginas "Bitcoin: Un Sistema de Efectivo Electrónico Usuario-a-Usuario"[38].
Una sociedad puede cambiar en nueve páginas. El documento empieza así.
"Una versión puramente electrónica de efectivo permitiría que los pagos en línea fuesen enviados directamente de un ente a otro sin tener que pasar por medio de una institución financiera. Firmas digitales proveen parte de la solución, pero los beneficios principales se pierden si existe un tercero de confianza para prevenir el doble-gasto. Proponemos una solución al problema del doble gasto utilizando una red usuario-a-usuario. La red coloca estampas de tiempo a las transacciones al crear un *hash* de las mismas en una cadena continua de pruebas de trabajo basadas en *hash*, formando un registro que no puede ser cambiado sin volver a recrear la prueba de trabajo. La cadena más larga no solo sirve como la prueba de la secuencia de los eventos testificados, sino como prueba de que vino del gremio de poder de procesamiento de Cpu más grande. Siempre que la mayoría del poder de procesamiento de Cpu esté bajo el control de los nodos que no cooperan para atacar la red, estos generarán la cadena más larga y le llevarán la ventaja a los atacantes. La red en sí misma requiere una estructura mínima. Los mensajes son enviados bajo la base de mejor esfuerzo, y los nodos pueden irse y volver a

[37] Que pertenecía a la sociedad limitada Metzger, Dowdeswell & Co. LLC

[38] Bitcoin: Un Sistema de Efectivo Electrónico Usuario-a-Usuario. bitcoin.org/files/bitcoin-paper/bitcoin_es_latam.pdf.

unirse a la red como les parezca, aceptando la cadena de prueba de trabajo de lo que sucedió durante su ausencia".
En este primer párrafo encontramos la esencia de la cryptorevolución. La posible historia de Bitcoin nacida de las neuronas de una persona física probablemente no sea real y el proyecto que será indeleble para la historia de nuestra convivencia global probablemente provenga del interés de un grupo de investigadores, entre las mejores cabezas de economía, finanzas, tecnología de la información, matemáticas, filosofía, reunidos para un proyecto revolucionario bajo el nombre de Satoshi Nakamoto, que por tanto sería un apodo.
Según este grupo de visionarios, "Lo que se necesita es un sistema de pagos electrónicos basado en pruebas cryptográficas en vez de confianza permitiéndole a dos partes interesadas realizar transacciones directamente sin la necesidad de un tercero confiable. Utilizando un registro que no puede ser cambiado sin volver a recrear la prueba de trabajo".
El fruto de años de investigación ha llevado al complejo algoritmo blindado de Bitcoin. El objetivo está claro. Dar una alternativa descentralizada para permitir la supervivencia de la civilización.
Esta tecnología pronto entrará en el hogar de todos y será utilizada bien o mal por la colectividad.
Por su formación filosófica esta estructura denominada blockchain está diseñada para ser descentralizada y al no proveer el filtro operado por un sujeto central, abre la puerta a una mayor participación de todos los habitantes del mundo en la vida financiera global.
La ventaja sigue siendo grande para dos tercios del mundo, ya que solo se requiere una computadora y una conexión a Internet para acceder a la red blockchain. Muchas personas que no tienen acceso a una cuenta bancaria pueden usar la red blockchain para poner un pie en las finanzas globales por primera vez sin necesidad de permiso de una autoridad.
Al comienzo de su aventura fue denigrado por los barones de las finanzas pero la consideración de bitcoin en el mundo financiero está logrando estabilidad y confianza creciente. La plataforma de intercambio de cryptomonedas más grande del mundo acaba de salir a bolsa en Nasdaq. JP Morgan y Goldman Sachs planean ofrecer a sus inversores servicios que incluyen cryptomonedas. Los bitcoin ya se encuentran en paquetes financieros y fondos de pensiones. Visa aceptó pagos con bitcoin junto con el gigante Paypal. Grandes bancos como el vasco Bbva están planificando su entrada en el mundo blockchain con

la creación de un mercado de cryptomonedas con sede en Suiza (porque en España la legislación aún no lo permite). También China, el principal productor de bitcoin[39], con mineros que extraen el 65% de los bitcoin en circulación también ha declarado que podría ser una moneda alternativa muy viable[40].

El sello institucional europeo ya está escrito. En el informe del parlamento europeo publicado en julio de 2018 "Monedas virtuales y política monetaria del banco central: los próximos desafíos" leemos que "Las monedas virtuales seguirán siendo un elemento permanente en la arquitectura financiera y monetaria global en los próximos años". Italia se unió a la Asociación Europea de Blockchain en 2018 y el ministerio de desarrollo económico subrayó el deseo de utilizar la cadena de bloques como una herramienta para preservar el precioso *Made in Italy*.

Las operaciones de Bitcoin son administradas por la red, donde no existe ninguna institución, ni intermediario, ni gobierno y se llevan a cabo en pocos minutos con comisiones mínimas. Nadie tiene acceso a tus fondos, que permanecen constantemente en tu posesión y a tu disposición. Puedes hacer con tus finanzas lo que quieras, cuando quieras. No estás atado a los fines de semana, ni a la temporalidad ni a reglas arbitrarias. No hay tarifa de depósito y nadie puede estirar las manos sobre tus monedas.

Hace unos días estuve hablando de manera interesada y agradable con un manager de un gran banco español que me señaló la situación reiterada que también comparten sus amigos. "En el banco a menudo nos hemos encontrado sin poder retirar una cantidad como dos mil euros de nuestra cuenta. A la hora de retirar una cantidad que se sale de lo habitual, el banco me preguntó inopinadamente por qué quería retirar mi dinero y para qué" me aseguró el manager, añadiendo "Y además, debes avisarles con anticipación porque es posible que el dinero líquido no esté disponible para retirarlo en efectivo".

Esto significa que no puede disponer libremente de su dinero. En un próximo capítulo de este libro propongo la historia inédita de "La guerra de los bancos" que muestra la percepción perfecta de la inesperada relación que se ha creado con los bancos en la actualidad.

---

[39] En segundo lugar con 7.24%, seguido de Rusia con 6.90%, Kazajstán con 6.17%, Malasia con 4.33%, e Irán con 3.82%. cbeci.org/mining_map.

[40] A finales de mayo 2021 al parecer China habría declarado ilegal la utilización de cryptomonedas. Como explicaremos en las próximas páginas los bitcoin se crean, o sea se minan.

Creo que es fundamental aclarar cómo interpretar la revolución de las cryptomonedas en lugar de relegarlas a un simple "son una burbuja que estallará" o peor aún "son una fuente de financiación del terrorismo".
Es mucho más interesante y real estudiar lo que realmente está pasando en la CryptoJungla y entender por qué esta nueva tecnología blockchain no desaparecerá, más bien permanecerá y revolucionará nuestras vidas porque simplemente resuelve muchos problemas.
Es importante ver en detalle cómo se utilizan las monedas digitales, por qué forman parte de una revolución tecnológica e ideológica que puede cambiar nuestra vida en un sentido especulativo, pero también en la gestión práctica de nuestros activos e intercambios de valor.
Una visión como consumidor, como ciudadano de a pie, accesible, con indicaciones de cómo hacerse una idea personal, sin el condicionamiento de información confusa y perezosa propia de estos años de decadencia de la comunicación colectiva.

Blockchain & Mining

La larga ola *braudeliana* generada como reacción del fenómeno crypto ha embestido al mundo con un nuevo concepto, incluso antes de la evidente propuesta tecnológica innovadora que conlleva.
El concepto que lleva a un cambio copernicano tiene su propia traducción en la tecnología innovadora que según los más fanáticos es "más grande que internet, que la edad de hierro, que el renacimiento y que la revolución industrial. Esto afectará al mundo entero", como señala el documental "Cryptopia: Bitcoin, Blockchains y el futuro de Internet" de Torsten Hoff.
El concepto que debe entenderse para enmarcar la revolución se llama descentralización.
Por ahora, todo está en manos del gobierno y de los bancos. Un control capilar, lento, desvinculado de los intereses reales de la población.
El fenómeno revolucionario se basa en la blockchain, un mega sistema operativo extendido en miles de computadoras en todo el mundo que mejora los intercambios entre personas de forma rápida y a bajo coste.
¿Qué se puede intercambiar con este sistema? De todo. Todo se puede convertir en token y negociar en una red blockchain.
Cuatro características importantes de esta tecnología son la transparencia, el cifrado, la inalterabilidad y la descentralización. Parece ser la otra cara de la moneda de una sociedad poco

transparente, centralizada y que intercambia información que puede ser modificada constantemente "a conveniencia".
La cadena de bloques es un software que permite intercambios *peer to peer*, entre individuos. Es código abierto, *open source*, que está reuniendo a las mentes brillantes del mundo en un proyecto revolucionario común.
Ivan on Tech, un gurú de CryptoJungla, es un diseñador de software de Suecia. En su documento[41] "11 Casos de Uso para Blockchain" indica las macro áreas donde la blockchain va a crear nuevas oportunidades de progreso.
La blockchain sirve para pagos y cryptomonedas, como bien sabemos, trading y finanza comercial, gestión de cadenas de suministro, salud, seguros, prevención de fraudes y blanqueo de dinero, finanzas descentralizadas, identidad en el sentido de poder certificarla gracias a la blockchain, algo seguro en occidente y menos en otras partes del mundo. También es útil para financiar pequeñas y medianas empresas y será muy utilizada para la administración. El gobierno gracias a blockchain puede mejorar la protección de datos de las personas, simplificar los procesos y prevenir el uso fraudulento y abusivo de los servicios gubernamentales. Otro sector que está imaginando un florido futuro gracias a la blockchain es el *real estate*, el mercado de bienes inmuebles. La tokenización en este sector puede tener aplicaciones todavía impensables. Finalmente también el deporte utiliza la blockchain con nuevos modelos utilizados para crear nuevos beneficios. La cadena de bloques nace con una lógica y un nuevo enfoque estratégico de los intercambios a nivel global[42].
Mi billetera de cryptomonedas solo se puede abrir con claves privadas que solo yo conozco. Las claves públicas, por otro lado, se utilizan para comunicarse con toda la red blockchain. Cuando tengo bitcoin en mi billetera y envío una cantidad a otra billetera, lanzo la orden de

---

[41] ivanontech-academy.s3.eu-north-1.amazonaws.com/IOT_-_11_Use_cases_By_Industry.pdf.

[42] Todo se basa en la forma de almacenar la información relativa a los intercambios, que están contenidos en bloques. Cada bloque para ser creado necesita el consentimiento de la comunidad. El consentimiento se basa en verificar la veracidad y origen del valor intercambiado. Solo cuando hay un consenso general, las operaciones se llevan a cabo. Cuando llega el ok de la red, se forma un nuevo bloque y este se conecta de forma definitiva e inmutable al bloque anterior. Todos pueden consultar la red y comprobar las operaciones que se han realizado. Un gran escaparate donde es imposible mentir. En la práctica, blockchain es un protocolo de comunicación, una base de datos muy extendida. Un ejemplo práctico puede aclarar la dinámica.

transferencia al mercado. Los administradores de los bloques reciben el pedido, verifican que mi billetera tiene los fondos necesarios para la transacción y verifican su origen. Cuando se alcanza el número necesario de comprobaciones entre estos administradores llamados también "nodos" o "mineros", en unos pocos minutos, la operación se ejecuta. Es decir, el valor en cuestión se transfiere de mi billetera a otra. Cuando se cierra un bloque, que registra todas las operaciones durante un período de tiempo, queda ligado al anterior de una forma indeleble e inamovible y se fotocopia toda la cadena en todos los equipos del mundo como si se tratara de una copia de seguridad global, prácticamente imperdible. Intentar manipular un bloque es inútil. Cambiar las claves virtuales que unen los bloques, llamadas *hash*, corrompe el bloque irreparablemente y el bloque será eliminado de la cadena de bloques.

¿Qué significa minar?

Las computadoras que trabajan para la blockchain verifican las operaciones, registran los datos y cierran los bloques individuales. Esto es el *mining*.

Una computadora que cierra un bloque recibe una recompensa en la moneda de la cadena de bloques, por ejemplo en la cadena de bloques de Bitcoin la computadora minera que cierra un bloque se compensará con bitcoin.

Para cerrar un nuevo bloque, los mineros tienen que resolver un acertijo computacional muy complejo que requiere mucha energía y potencia de cálculo. Esta metodología es la que previó Satoshi Nakamoto en su *white paper* y se llama *proof of work*[43].

Esto ha generado muchas dudas en el mundo crypto porque el cálculo computacional para resolver los acertijos cryptográficos "inútiles", necesita mucha energía.

Ethereum es una blockchain como Bitcoin que tiene también su famosa cryptomoneda que es el ether. Ethereum es la segunda generación de blockchain. Si Bitcoin es la originaria, Ethereum es la 2.0. Entre las

[43] La decisión sobre qué nodo tiene el derecho de validar un bloque es aleatoria, dando mayor probabilidad a quienes cumplan una serie de criterios, como por ejemplo la cantidad de moneda reservada y el tiempo de participación en la red, pero pueden definirse también por otros factores. Para asignar un nuevo bloque el validador minero necesita resolver un cálculo muy complejo. El minero que encuentra esta solución computacional tiene derecho a sellar el bloque y recibir su recompensa.

novedades continuas que se desarrollan en esta blockchain está el nuevo sistema de organización de la minería que se llama *proof of stake*[44].
La solución que se ha implementado en la blockchain de Ethereum es el método *proof of stake*, que resuelve el problema energético y aumenta la velocidad de las operaciones. En esta blockchain la recompensa se asigna al nodo validador que más ether tiene en stake. Stake, es una reserva de liquidez muy útil para el mercado. Cuantas más monedas están en esta "piscina de liquidez", *pool of liquidity*, mejor posicionado estará el nodo para ganar recompensas[45].
Este nuevo sistema es un protocolo de consenso que anula la necesidad de resolver el problema computacional utilizando grandes cantidades de energía. Esto mejora tanto el gasto energético como la velocidad de validación.
Otra gran ventaja de este nuevo sistema de validación se refiere a la seguridad global de la blockchain.
Un ataque financiero a la blockchain podría ser teorizado si un grupo minero malicioso tuviera el 51% del poder de cómputo de la red. Esto generaría un desastre permitiendo manipular la blockchain a su antojo. Pero un sistema *proof of stake*, hace posible el escenario solo si el atacante posee el 51% de todas las monedas. Si esto pasara, el valor de la moneda tendería a caer junto a la confianza del mercado. Si el atacante posee el 51% de estas monedas debería encajar una pérdida financiera ciclópica. Está claro que el sistema *proof of stake* tiene un alto potencial disuasivo y de seguridad.
Estas operaciones de verificación y almacenamiento de información y la creación de nuevos bloques en el mosaico global de la mega biblioteca de datos se llevan a cabo por computadoras ubicadas en todo el mundo. La mayoría de ellas están en China, especialmente en la región de Xinjiang, donde se extrae el 36% de los bitcoin, incluso en los Estados Unidos, Rusia, por ejemplo. Pero la participación en la cadena de bloques es capilar en todo el mundo y es tangible cómo esta tecnología es capaz de involucrar a cualquier persona en todo el mundo y está al alcance de todos.

---

[44] En español sería prueba de participación.

[45] Cuanta más gente confía en el minero, cuanto mayor sea la reserva de cryptomoneda que posee el minero, cuanto más grande sea la confianza en este nodo, mayor será la probabilidad de que se otorgue a él el derecho de sellar los bloques y así poder recibir la recompensa.

Un minero en tu garaje

Los ordenadores mineros pueden ser grandes naves industriales ubicadas en cualquier parte del mundo. Pero también pueden ser un ordenador en tu garaje.
A finales de abril fui a visitar a unos amigos que tienen un restaurante en el centro de Madrid. Comenté la inminente publicación de este libro y de repente me encontré con otra sorpresa más. La capilaridad del fenómeno me embistió en toda su pureza. El amigo maestro pizzaiolo Luca, con quien confabulo a menudo sobre el plato príncipe napolitano, exclamó cándidamente: "Estoy minando ether".
Me sorprendí y le presioné: "¿Y qué sabes sobre las cryptomonedas?".
"Nada", respondió.
Me explicó que su padre le dijo un día, "¿por qué no llamas a tu hermanastro y te montas una de esas cosas que él maneja desde lejos? Puedes ganar un dinero extra".
Luca siguió el consejo y se puso manos a la obra para construir la computadora necesaria para la minería. El hermano programó todo de forma remota y ahora está siguiendo el mantenimiento desde Rumania. La computadora ahora está en casa encendida todo el día y Luca recibe alrededor de mil dólares al mes en cryptomonedas ether.
Luca también involucró a Alfonso, un gran amigo que se unió a otro amigo cubano, Roberto. No sabía que en tan poco tiempo todos se habían sumado a la revolución blockchain con fines evidentemente lucrativos y, por ahora, quizás, poco ideológicos.
"¿Cómo te las arreglaste para montar la computadora para minar?" Le pregunté de inmediato.
"No es nada sencillo, los componentes se venden como pan caliente en el mercado secundario, mientras que en el mercado primario o son demasiado caros o no se pueden encontrar", explicó Alfonso, que es un tipo que si se mete algo en la cabeza persiste hasta alcanzarlo y enumeró todo lo que se necesita literalmente en un monólogo casi teatral. Lo reproduzco en su totalidad porque a alguien le podría ahorrar mucho tiempo.
Alfonso me explicó: "Me gasté cuatro mil euros y tardé un mes en encontrar todo lo que necesitaba. Compré en Amazon en España e Italia o en Wallapop. Para construir las computadoras, necesitas una placa base; hay varios tipos, como Asrock h110 pro btc, una memoria de 8 gb, fuente de alimentación. Para la tarjeta gráfica hay en Internet una

lista de tarjetas de video capaces de minar. Están volando. Tuve suerte, una señora me la vendió porque las tías de su hijo le habían dado esta tarjeta de videojuego, pero él soltó que era vieja y que no la necesitaba. El hijo participa en competiciones de videojuegos. Afortunadamente, no la quería. Para las tarjetas las más famosas son la 1660 super (atención que las 1160 no son buenas para eso) o la Rtx 3070 que produce 58 megahash, la Rtx 3080 que soporta 90 megahash, la Rtx 3090, entonces necesitas una fuente de alimentación que se calcule de acuerdo al poder de las placas. La potencia combinada de las placas no debe superar el 80% de la capacidad de la fuente de alimentación. Compré el Corsair 1200w que va muy bien. La Cpu, que es el procesador, es delicada y está montada en la placa base con una pasta térmica. La lista de Cpu compatibles está impresa en la placa base, tomé el intel i3 7500. Los cables que conectan la fuente de alimentación, el elevador y la tarjeta de video deben ser lo suficientemente largos, los encontré en Amazon Italia, el 6 pines hembra y el cable de 8 pines macho adx. Para el verano, dado el calor necesitas ventiladores extra y un enchufe inteligente con control de potencia así puedes gestionar la app, puedes apagarla incluso si estás fuera y puedes controlar el consumo. Para administrar el ordenador descargué una aplicación Hiveos Farm que se conecta y controla todo lo que está enchufado, con su temperatura. El programador de Rumania se conectó a la placa base e instaló Linux, completando la configuración del software. Hemos indicado nuestra billetera en Binance y la máquina envía automáticamente los ether que extraemos a una media de unos mil dólares al mes. Pagamos una cantidad ínfima por el mantenimiento remoto del software y en casa pagamos unos 25 euros al mes de electricidad por ahora". Rápidamente le aconsejé que usara una billetera fría para guardar las monedas a largo plazo y dejar en la billetera del *exchange* de Binance un porcentaje para intercambiar. Ni Alfonso ni Luca habían oído hablar de la wallet fría Ledger[46]. Hablaremos de ello en breve.

Halving, una palabra clave

La recompensa al trabajo de los mineros se define a priori en el algoritmo original y prevé en el caso de bitcoin que esta recompensa sea cada vez menor cada 4 años, en aproximadamente un 50%.

[46] Hablamos del Ledger Nano S más adelante en el párrafo "Wallet".

Cada 210 mil bloques creados tiene lugar un así llamado halving de bitcoin. Este ciclo se considera uno de los más importantes en la vida de la cadena de bloques.
La comunidad crypto espera este momento con gran entusiasmo.
Si entré en la CryptoJungla también se debe al halving, de hecho en la primavera de 2020 comenzó el nuevo ciclo que llevó a los mineros a recibir una nueva cantidad de bitcoin, 6,5 bitcoin por cada bloque cerrado. El halving es importante porque marca un momento clave a partir del cual habrá menos bitcoin disponibles en el mercado y el efecto sobre el precio es un aumento considerable del valor de la moneda. Más demanda, menos oferta, el precio sube.
Pude comprobar que las previsiones se cumplieron y desde abril de 2020 durante todo un año el precio del bitcoin ha galopado al alza, pasando de 6 mil dólares en marzo a 64 mil dólares en el mismo mes un año después. Probablemente los meses posteriores a la vertiginosa subida, que debería finalizar en diciembre de 2021, darán lugar a una nueva oportunidad de adquirir bitcoin debido al colapso del precio, para luego iniciar de nuevo una subida progresiva que culminará con el próximo halving en 2024. Un inciso, en esta previsión se escuchan rumores optimistas que llevan el futuro de un bitcoin a 100-150 mil dólares en 2021 y a medio plazo a los 500 mil dólares o incluso al millón. Como nos enseña el experto broker por excelencia Graham, nadie conoce el futuro. Pero desde que me sumergí en CryptoJungla, la mayoría de las predicciones se han hecho realidad en este año de euforia.
Para darle un sentido equilibrado a la bola de cristal también hay que tener en cuenta, y ahí está la trampa, que según el "tamtam" de la CryptoJungla entre el precio de estos días a finales de abril que se estanca en torno a los 50 mil dólares y los 100 mil esperados, o incluso el millón de dólares, puede que bitcoin experimente un colapso similar al de 2017.
¿Bitcoin irá a cero? Improbable.
¿Será una caída del 20%, 40%? ¿Nos devolverá menos de 47 mil dólares?
¿Menos de 30 mil? En verdad, entre gráficos y análisis con líneas retorcidas, entre alquimia digital y varios oráculos, nadie lo sabe. Tenemos que tenerlo en cuenta porque es una posibilidad acompañada de una gran probabilidad. El 3 de enero de 2009, la fecha del lanzamiento de bitcoin, la recompensa por cada bloque era de 50 btc. En 2012, la primera reducción a la mitad redujo la prima a 25 btc. En 2020 pasamos por la cuarta reducción a la mitad que, como se

mencionó, redujo la recompensa a 6,25 bitcoin. La última reducción a la mitad tendrá lugar alrededor del año 2140 y marcará el final de la minería tras la consecución de los 21 millones de bitcoin esperados.
Habrá 2 100 000 000 000 000 satoshi en circulación.
Bitcoin nació de intentos anteriores de monedas virtuales que no habían logrado resolver el problema del *double spending*, el doble gasto. En la práctica, la era digital se abre a la perenne posibilidad de copiar infinitamente cualquier cosa. En el caso de bitcoin, poder gastar la misma moneda dos veces colapsaría todo el castillo de confianza. El software *peer to peer* y de código abierto de Bitcoin resuelve este problema asignando una identificación a cada moneda, una especie de tarjeta de identidad no editable. Este Id contiene la historia de esa moneda con todos sus pasajes, desde su creación.
La ventaja de este sistema es que permite una seguridad absoluta en las transacciones, trazabilidad contra costes mínimos para cada transacción y una velocidad desconocida hasta la fecha.
Esta facilidad de intercambio aumenta la liquidez del mercado y fomenta un aumento del comercio, que hasta ahora con el sistema vigente se encuentra anquilosado en ritmos extremadamente lentos.
Bitcoin descentraliza la producción y el consumo de dinero, es la clave para desbloquear nuevas formas en que la humanidad pueda colaborar a una escala que era antes inimaginable.
El precio de Bitcoin es la star según la visión superficial de la mayor parte de lo que escuchas en los medios. Un día parece alcanzar el millón de dólares y en el siguiente parece llegar en una espiral de muerte hasta cero. En estos dos casos todo el mundo habla de bitcoin. La otra ocasión es el hecho de que Bitcoin usará toda la energía del mundo.
En realidad quien estudia bitcoin tiene confianza en su imprescindible futuro por diferentes razones. Financieras, tecnológicas, computacionales, conceptuales y estratégicas.
El sistema financiero y monetario fomenta la inestabilidad, la fragilidad o la creación de burbujas de activos, mientras las cryptomonedas pueden ayudar a mitigar estos problemas. Bitcoin, gracias a la tecnología blockchain que lo sustenta, ofrece un servicio de pago confiable, seguro, "llamado a plantar cara al monopolio monetario de los bancos centrales", así lo presenta el interesante libro "El patrón Bitcoin" de Saifedean Ammous.
A nivel tecnológico el bitcoin parece ser una verdadera joya como se deduce del famoso libro "Mastering Bitcoin" de Andreas Antonopoulos o "Programming Bitcoin" de Jimmy Song.

Con los euros, los dólares y las monedas tradicionales estamos acostumbrados al anonimato. Nadie te pregunta tu identidad cuando compras unos chicles o en un supermercado. Con la digitalización de las transacciones con tarjetas de crédito, de débito todo lo que hacemos es trazable y controlado por el gobierno. "Mientras empezamos a renunciar poco a poco al efectivo en favor de los pagos digitales, también creamos un sistema en el que damos poderes extraordinarios a aquellos que desean oprimirnos" advierte Yan Pritzker en el libro "Inventemos Bitcoin: La explicación sobre el primer dinero verdaderamente escaso y descentralizado".

Para comprobar si el dinero es falso recuerdo en el pasado el chico de la gasolinera que lo levantaba hacia el cielo para verlo en trasparencia, lo tocaba de manera muy peculiar, detenidamente estrujándolo con los dedos. Con bitcoin para comprobar que la transacción es válida hay computación descentralizada y transparencia en red, toda transacción es pública y consultable[47]. El anonimato está garantizado porque en la red se muestran solo las claves públicas de los usuarios, códigos alfanuméricos muy largos, pero no hay ninguna conexión con tu nombre.

El intento actual de control de identidad llamado *kyc* por parte de las instituciones está dirigidos a los *exchange* donde se compra cryptomoneda, pero en realidad es un filtro que puede ser bypaseado no dirigiéndose a estos *exchange* y operando directamente en la blockchain para la permuta de cryptomonedas.

El 11 de febrero de 2009, Satoshi Nakamoto intervino en un fórum online para cypherpunks[48], preocupados por la privacidad individual y la libertad, indicando que su nueva moneda estaba basada en pruebas cryptográficas en vez de en la confianza de un tercero. Las monedas tradicionales tienen en la confianza su problema principal. Se basan en la confianza. El Banco Central basa su estrategia en la confianza para no devaluar el dinero, tiene un sistema lleno de fallos para transferir el dinero electrónico, pero entonces lo prestan en oleadas de burbujas crediticias manteniendo apenas una fracción en reserva[49]. Nosotros

[47] Por ejemplo en blockchain.com/explorer.

[48] Los cypherpunk son un grupo de personas que se dedican al activismo digital centrándose en proteger la privacidad y la seguridad de los usuarios digitales usando lo mejor que la cryptografía puede ofrecer. academy.bit2me.com

[49] Yan Pritzker en el libro "Inventemos Bitcoin: La explicación sobre el primer dinero verdaderamente escaso y descentralizado"

somos víctimas de fraudes de robo de identidad y tenemos que confiar en las instituciones financieras para que sean capaces de identificarnos correctamente y de protegernos en caso de ataque fraudulento.
El sistema tradicional tiene además costes muy altos. Bitcoin ofrece un sistema entre pares, donde todos comprueban el temido problema del doble gasto. Cuando se intentó crear una cryptomoneda en el pasado como el DigiCash de David Chaum a finales de los años '80 el error fue seguir teniendo un servidor central como responsable de la seguridad y veracidad de las transacciones. Si el gobierno controla, el problema es el exceso de poder o la corrupción, si es una compañía a controlar el problema es que en caso de desaparición, hackeo o quiebra se cae todo el castillo.
Con Bitcoin estos problemas quedan solucionados. Para apagar esta blockchain se deberían atacar centenares de millares de computadoras escondidas en cada esquina del mundo.
Otro problema es la devaluación crónica del dinero tradicional.
El sistema de intercambio que empezó con objetos difíciles de replicar como conchas o metales como el oro, la plata, luego pasó a la emisión de papeles que tenían una correspondencia en oro hasta 1971. En aquel año el presidente estadounidense Nixon finalizó la convertibilidad del dólar definiendo un perfil de la nueva economía monetaria global donde gobiernos y bancos centrales deciden arbitrariamente la masa de valor que circula en el mercado y dando pie a la devaluación del dinero.
El dinero normal pierde valor, como veremos en otra parte de este libro, por la incapacidad de los gobiernos de mantenerse alejados de esta peligrosa arma de la devaluación del dinero. El dólar está perdiendo valor de forma preocupante. La CryptoJungla insiste a menudo en no fiarse del dólar. El bolívar venezolano pasó de los 2 bolívares por dólar estadounidense en 2009 a los 250.000 por dólar diez años después. La lira turca está viviendo una devaluación preocupante. Los ciudadanos del mundo se dan cuenta que su poder adquisitivo va bajando constantemente y buscan soluciones para su futuro y el futuro de sus hijos. Por esto mucha gente, muchas empresas, hasta las instituciones y los Estados se están dirigiendo al mercado de bitcoin.
La estrategia de Satoshi Nakamoto que prevé los 21 millones de bitcoin como cantidad definitiva, lo protege de la devaluación prospectando de converso un futuro de apreciación de su valor. Ninguna moneda con anterioridad dejaba patente su futuro de esta manera inmutable, definida y conocida por todos *ab origine*.

Bitcoin en su intención es el sinónimo de libertad financiera e independencia del gobierno. Millones de personas contribuyen al desarrollo software del bitcoin o siguen constantemente el mercado como inversionistas.
Ha sido aceptado institucionalmente y está presente hasta en las noticias financieras cotidianas de la televisión nacional. Junto al Nasdaq, ahora en los noticiarios a menudo se habla sin estereotipos del rebelde mercado de la mayor cryptomoneda.

Token

Las monedas en la cadena de bloques son token. Los token también se pueden programar para intercambiar servicios o valores distintos.
La tokenización es un concepto fundamental. Todo es tokenizable y la ventaja es traducir cualquier bien o servicio y cualquier valor en algo tecnológico que sea fácil de intercambiar y rastrear en la red de bloques. La *token economy* permite realizar transacciones con rapidez y reducir costes. Con los smart contract, contratos inteligentes, que acompañan a los token en esta nueva forma de ver los intercambios, es posible personalizar las transacciones y hacer que el mercado sea más libre. La cadena de bloques se utiliza para hacer trading, para seguros, para mercados financieros, para préstamos *peer to peer*, pero resulta útil y de bajo coste incluso en áreas no financieras para el llamado Internet de las cosas, para la gestión de identidades, para el *e-voting*, para la trazabilidad de todo, desde el vino, hasta las obras de arte, pasando por los medicamentos, por el archivo de datos, por la gestión de la cadena de suministro, por la propiedad de bienes inmuebles, etc., solo por nombrar una parte mínima de las posibles aplicaciones con este sistema. Y para los autores podría significar el fin del inaceptable abuso colectivo perpetrado en los últimos veinte años. Los derechos de autor encuentran un aliado blindado en la cadena de bloques. Siempre será posible buscar el autor y se podrá gracias a los smart contract tributar a los autores de manera transparente y definitiva una justa compensación.
También se lanzan en blockchain las Ico, *initial coin offering*, un método para financiar nuevos proyectos y startup, una especie de *crowdfunding* basado en la moneda específica lanzada por la empresa. Son el equivalente al "mundo físico" denominado Ipo (*initial public offering*) que están estrictamente regulados por organismos reguladores y requieren la intervención de actores institucionales como bancos de

inversión, bufetes de abogados, que guían a las empresas en el proceso de Ipo[50].
Las Ico son más rápidas y baratas, son más *low cost* y para lanzarlas solo necesitas un token que viaje en la cadena de bloques Erc20[51] y las operaciones de marketing para darlo a conocer.
Esto representa un verdadero ejemplo de CryptoJungla, libre, rápida y sin protecciones. Las bajas barreras de entrada en el lanzamiento de proyectos, token y monedas aumentan los riesgos y hay que tener mucho cuidado a la hora de invertir porque entre las miles de nuevas Ico solo unas pocas son sólidas y una pequeña parte son verdaderos fraudes.
En blockchain viajan también los *security token*, que son útiles como acciones, para los socios de una empresa o para votar. Una utilidad para muchos sectores, desde el agroalimentario, financiero, sanitario, administración pública, empresas, artistas, información, particulares, etc.

El nuevo oro

En CryptoJungla, se puede sentir esta asociación entre oro y bitcoin. ¿Bitcoin representa el nuevo oro?
Desde la noche de los tiempos[52] el oro se utiliza en el planeta Tierra como reserva de valor por su escasez y su imposibilidad de reproducción. Contra las fluctuaciones del mercado, contra la volatilidad el oro mantiene siempre una cierta estabilidad. Puede llegar a costar menos o más, pero siempre es un valor convertible en algo más. Todo el mundo quiere oro desde siempre. El gurú que sigo en el trading siempre recomienda tener una parte de capital en oro, aunque la mayor parte de las veces tenemos acceso a un valor ficticio ligado al precio del oro, pero no compramos el metal en sí. Tanto el oro como la plata están resultando muy escasos y, a pesar de tener un precio bajo, el mercado registra una gran escasez de estos metales.
El problema que preocupa más en el "tamtam" de la jungla es la incapacidad de los gobernantes de frenar su poder para imprimir nuevas monedas, nuevos dólares, continuamente.

---

[50] "Il Futuro del Valore" P. Sorgentone.

[51] Ethereum Request of Comment 20.

[52] Expresión italianizada.

Estados Unidos estaría a punto de imprimir nuevos trillones de dólares y este dinero tiene cada vez menos valor, cada vez menos poder adquisitivo. Según la llamada ley de Thomas Gresham, cuando en un país circulan simultáneamente dos tipos de monedas de curso legal, y una de ellas es considerada por el público como "buena" y la otra como "mala", la moneda mala siempre expulsa del mercado a la buena. En definitiva, cuando es obligatorio aceptar la moneda por su valor nominal, y el tipo de cambio se establece por ley, los consumidores prefieren ahorrar la buena y no utilizarla como medio de pago[53].

Según la dinámica - que contaré en el capítulo "Panorama" - vaticinada por el premio Nobel Hayek en los años '70, el bitcoin se pone como alternativa de valor porque ha solucionado, como vimos, el problema de la inflación.

Quien tiene bitcoin ahora mismo no lo suelta. No quiere pagar una nueva moto o unos zapatos con algo que con el tiempo podría revelarse una reserva de valor con una apreciación hiperbólica. Si el dólar se está imprimiendo por voluntad gubernamental con frecuencia y teniendo en cuenta que desde Nixon no tiene ninguna correspondencia con el oro, el silogismo lleva a una gran tensión a los analistas del mercado.

El Senado de Estados Unidos ha aprobado el plan de Biden de inyectar un estímulo de 1,9 billones de dólares en el mercado. Dinero "inventado" critica la comunidad de la CryptoJungla. El mundo crypto no se fía más del dólar. La mecánica de imprimir "a placer" no ha funcionado nunca en la historia. Al principio ofrece un estímulo al mercado pero luego los trabajadores se encuentran con un dinero en el bolsillo que vale muy poco y con el tiempo se dan cuenta que se han empobrecido. Ha pasado en Venezuela, Zimbabwe. Por esto el oro es una solución. El dólar se utiliza para la vida diaria, pero para proteger el patrimonio todo el mundo busca el oro, la plata y el bitcoin. El bitcoin es el más sencillo de encontrar por ahora, porque aunque se haya apreciado enormemente en el último año, sigue teniendo un valor bajo con respecto a las estratosféricas, y no comprobables, previsiones. Es raro que sea tan difícil encontrar oro y plata al por menor, algo que almacenar en cajas de seguridad porque actualmente los precios bajos deberían ser sinónimo de grande liquidez, de una fácil disponibilidad en el mercado. Pero al parecer, como recuerda el controvertido empresario Robert Kiosaki, alguien estaría manipulando el mercado,

---

[53] "Ley de Gresham". Wikipedia.

porque estos metales se utilizan en grandes cantidades para los aparatos electrónicos y su precio debería estar por las nubes en estos días.
Bitcoin probablemente nunca volverá a los 42 mil dólares. Si esto fuera cierto, agregaría una certeza a quienes compraron por 5 mil, 10 mil, pero también por 30 o 40 mil dólares. Si la predicción de un millón por cada bitcoin se hiciera realidad sería una buena compra incluso a 80 mil o 100 mil. Incluso a 900 mil por cada btc sería una ganga. Además, hay 21 millones de bitcoin y cada vez hay menos disponibles. Es muy probable que se dispare el precio debido a la confianza de la comunidad y a su escasez. Como siempre ha sido para el oro.
El equilibrio entre la moneda tradicional y la nueva cryptomoneda está experimentando un nuevo momento. Según el filósofo de la Universidad Sapienza Emiliano Ippoliti, autor de "Un filósofo en Wall Street", las grandes instituciones financieras ya no podrán transmitir la política monetaria. Y el papel de los bancos comerciales está en duda.
Desde Lorenzo dei Medici en adelante, los bancos siempre han tratado de monetizar las deudas en su propio beneficio dejando el riesgo sobre los hombros de la comunidad. El desafío de los bancos centrales es este, entrar en el mundo crypto evitando abrir una caja de Pandora y arriesgarse a regresar al banco de la Unión Soviética, como argumenta Donato Masciandaro, experto en banca y finanza de Bocconi en Milán.
Algunos bancos centrales como Suecia o Uruguay se han movido en el tiempo por diferentes motivos. En Suecia, la gente no usa moneda física. En Uruguay la moneda compite con el dólar. Como dice el economista Marcello Minenna, "no es seguro que los bancos no puedan participar de ninguna manera en esta dinámica competitiva. El sistema financiero mundial se verá afectado por esta novedad. Por tanto, conviene rediseñar la dinámica entre empresas y ciudadanos, bancos y banco central".
Lo cierto es que las cryptomonedas no desaparecerán, sino que cambiarán el panorama global con nuevas formas de intercambio entre particulares, con empresas y entre instituciones financieras. Las cryptomonedas están flanqueadas por *stablecoin* mientras los bancos preparan sus propias cryptomonedas, pero también las empresas podrán tener sus propias monedas.
¿Cuál será la moneda única del planeta?
¿Bitcoin alcanzará el millón de dólares?
¿Y si se materializara el peor de los escenarios posibles, o sea un fallo técnico, un agujero en la perfección tecnológica del Bitcoin, como por ejemplo en el caso del temido *double spending*?

En este caso, pasará de reserva de valor a cero.
Una compañía de inversiones con sede en el Reino Unido, Ruffer Investment Company Limited, con acciones que cotizan en la Bolsa de Valores de Londres, ha revelado que ha agregado bitcoin a su Fondo de Estrategias Múltiples, principalmente "como un movimiento defensivo contra la devaluación continua del dinero fiduciario". El fondo ahora tiene aproximadamente el 2,5% de sus activos en Bitcoin.
JPMorgan ha declarado que bitcoin se está comiendo silenciosamente la participación de mercado del oro.
A estos razonamiento se añade uno irrefutable. El oro aunque baje o tenga un momento de inflexión, siempre será el oro. No se van a borrar siglos de utilización como reserva de valor por la llegada de bitcoin. La cryptomoneda se pone como alternativa con perspectivas óptimas de crecimiento de valor. Pero el oro con toda probabilidad será siempre un símbolo de estabilidad global.

¿Bitcoin no sostenible? Una nueva solución

El argumento último y principal de los detractores de bitcoin es la energía. Se trata en concreto de la contaminación por consumo de energía causada por bitcoin. Es interesante cómo para las compañías aéreas de bajo coste fue el mismo argumento, cuando empezaron a tener un enorme peso en Europa y empezaron a amenazar el monopolio de las compañías de bandera el argumento denigratorio fue la contaminación del ambiente.
Sin ninguna duda nuestra generación deberá tomar medidas drásticas para preservar nuestro planeta, pero los argumentos utilizados contra las *low cost* y contra bitcoin suenan un poco a instrumentalización debida probablemente al éxito de estos fenómenos.
Con las *low cost* la polémica era sorprendente dado que las compañías de bajo coste volaban con flotas nuevas, mientras las compañías tradicionales seguían utilizando aviones viejos de 20 años, con la consecuente contaminación producida.
Con bitcoin el problema es el *proof of work*. El inventor descentralizado Sathoshi Nakamoto en su *white paper* dejó claro que para recompensar a los mineros por su trabajo de formación de los bloques en la blockchain debían resolver un acertijo informático muy complejo. El minero que lo lograra ganaría sus bitcoin de recompensa.
Este sistema dentro de la dinámica blockchain funciona. Pero a nivel de gasto de energía no a todo el mundo le pareció una gran idea, gastar

tanta energía para resolver un quiz ficticio que es necesario solo en la dinámica de la nueva red de bloques. Las nuevas blockchain han tomado en cuenta estas críticas y están virando desde este sistema *proof of work* a un más moderno *proof of stake* donde se premia el minero que tiene más liquidez, no el que resuelve el acertijo. Esto mejora la velocidad de la red y crea menos gastos energéticos.
Otra respuesta que se repite mucho en la CryptoJungla es que las centrales de minería de bitcoin cada vez se encuentran en zonas con mayor disponibilidad de energía y la energía gastada o malgastada por la red de Bitcoin utiliza un surplus que se perdería sin ser utilizada.
Si intentas buscar una información unívoca sobre la energía gastada por bitcoin vas a entrar en un mundo de confusión crónica. El motivo es claro, muy común con los datos, depende todo de cómo se lean y a qué hagan referencia los mismos. La impresión es que se utiliza de manera recurrente este tema cuando la cryptomoneda bate un nuevo récord. En la lista de los argumentos favoritos de los detractores la clasificación es más o menos siempre igual. Es una estafa, argumento príncipe. Es demasiado volátil para una reserva de valor. Ha fallado como vehículo de pago. Se usa para actividades ilícitas. No está respaldado por nada. El perro se comió mi billetera bitcoin y el ambiente[54],... y el ambiente.
Los detractores afirman que la industria minera de bitcoin consume mucha energía y es dañina, actualmente a 120 twh (teravatios-hora por año), el equivalente a un país como Noruega.
El Índice de Consumo de Electricidad de Bitcoin de Cambridge estima que el consumo de energía anualizado de la cryptografía es de alrededor de 127,48 teravatios-hora. Bitcoin representaría el 0,51 por ciento de la producción mundial de electricidad y el 0,59 por ciento del consumo total de electricidad.
Bitcoin es una realidad imponente a nivel mundial. Se estima que representa el sexto dinero base más grande de la Tierra excluyendo el oro y la plata[55], detrás de la Eurozona, los Estados Unidos, China, el Reino Unido y Japón. Es normal que con esta envergadura tenga que consumir energía. Pero se encuentra detrás de estos países en consumo y su Pib es comparable con un Estado. Ucrania, por ejemplo, ronda los 150 mil millones de dólares. El valor de todos los bitcoin extraídos es de 940 mil millones de dólares, mayor que el Pib combinado de

[54] Así ironiza Lawrence Wintermeyer en el artículo "Bitcoin's Energy Consumption Is A Highly Charged Debate – Who's Right?", Forbes 3/2021.

[55] The Crypto Voices sobre la base monetaria global.

Ucrania y el siguiente mayor consumidor de energía, Suecia, con un Pib de 530 mil millones de dólares[56].
La extracción de oro al parecer es 50 veces más cara que la extracción de bitcoin y la ejecución de la red bitcoin. El oro consume 131,9 twh. El muy amado anillo de oro produce por cada unidad alrededor de 20 toneladas de desperdicio.
Si se calculara el gasto total del sistema bancario mundial llegaríamos a cifras mucho más altas teniendo en cuenta todos los edificios, toda la parte tecnológica, la logística, los servidores informáticos, los cajeros automáticos. Por ahora las estimaciones sumarias sitúan la cifra en 140 twh.
El bitcoin utiliza un 39% de energías renovables.
"Calumniar a la cryptominería como un negocio intrínsecamente sucio parece intelectualmente deshonesto" subraya Lawrence Wintermeyer desde las páginas de Forbes.
Nature en 2018, advertía que si Bitcoin se convirtiese en la principal forma de pago, el consumo energético y emisiones de la cryptomoneda por sí solas, elevarían la temperatura media global por encima de los 2° C en menos de 20 años, imposibilitando así el cumplimiento del Acuerdo de París. Como afirmó Franck Leroy, en un artículo donde también invitaba a los green hackers a actuar contra la cryptomoneda: "Bitcoin es el peor desperdicio de recursos y energía de la historia de la humanidad".
El panorama resulta muy claro para tomar una posición personal entre innovación y política, entre monopolio y progreso, entre independencia de la finanza y poderes fuertes muy ocultos. La memoria de las mismas críticas dirigidas a las *low cost* es una advertencia que nos tiene que poner en guardia para no caer en las mismas trampas del pasado.

[56] "Bitcoin's Energy Consumption Is A Highly Charged Debate – Who's Right?" Forbes 3/2021

EL PANORAMA

In context, veritas

EL PLAN ₿
Prepárate para la revolución

El bitcoin es definido como plan "₿" por los detractores de las *fiat*, las monedas normales. El lema es: "Tenemos un plan B porque el plan A no funciona".

El profesor Friedrich August von Hayek recibió en 1974 el Premio Nobel de Economía "por su trabajo pionero en la teoría del dinero y las fluctuaciones económicas y sus análisis pioneros de la interdependencia de los fenómenos económicos, sociales e institucionales". El economista austriaco publicó dos años más tarde "Choice in Currency. A way to stop inflation", un *paper* donde indica que en la historia, invariablemente, el control sobre la administración del dinero por parte del gobierno siempre ha llevado a la inflación.
El sistema de correspondencia oro le quitó esta prerrogativa al gobierno, pero el presidente republicano estadounidense Richard Nixon dio el golpe de gracia a nuestro sistema monetario estable al poner fin a la correspondencia en oro del dólar, vislumbrando así una estrategia de control centralizado absoluto, lo que se traduce en inflación, polarización, desempleo y como corolario un continuo detrimento del bienestar de la sociedad. "Llegará el momento", dijo el profesor, "en que se eliminará este poder del gobierno de controlar cada transacción de los ciudadanos. La respuesta debe ser dejar a los ciudadanos libres para usar su dinero como mejor les parezca".
El liberalismo interpretado de forma moderna se asemeja al lobo vestido de abuela en la famosa fábula. En palabras del refinado y sagaz periodista vasco, Iñaki Gabilondo, "Deberíamos parar con esta historia del lobo comunista que nos va a comer cuando en realidad el tigre nos

está devorando. Estamos observando el peligro de la amenaza del socialcomunismo del cual constantemente nos hablan y todas las crisis de los últimos tiempos proceden del otro rincón. El crack del 2008, los magnates de Wall Street, el Brexit del partido de Cameron. El asalto a la Casa Blanca con el follón que montaron los republicanos. Todos se sienten amenazados por el comunismo, todos 'cuidado que viene el lobo', mientras el tigre nos devora" concluye Gabilondo.
Nos dicen que el problema es el comunismo pero en realidad el gobierno de nuestros Estados modernos democráticos aparentemente no tiene ninguna fe en nosotros y nos controla, como nunca. El nivel de control de cada operación, de cada movimiento ha llegado más allá de los confines de lo creíble. Es para nuestro bien, es la justificación. Pero en realidad nuestra sociedad se ha militarizado, las empresas dominan con un sistema piramidal y antidemocrático donde los líderes se eligen a dedo y domina la jerarquía que se ha convertido en un dogma de nuestra colectividad. La jerarquía de alguna forma se ha convertido en el objetivo.
Contemporáneamente disminuyen el bienestar, el poder adquisitivo, los derechos sociales, la inversión y la educación en cuestiones sociales. Es una civilización de gente muy "moderna", estresada y deprimida.
Juan Luis Cebrián, primer editor de El País, el primer periódico español, en una reciente entrevista en Tve, la televisión nacional de España, indicó un punto de vista interesante. "Vivimos en un período con tendencia al autoritarismo, con el crecimiento de los extremismos - comenta Cebrián -. Se gobierna por decreto ley y los parlamentos han perdido el poder. Se han perdido la libertad individual y social. Y el corolario al margen es el desempleo y la falta de socialización. Sin socializarse hay que darle opciones alternativas a la gente. El resultado actual es una generación que vive peor que sus padres. Nicolas Sarkozy y Gordon Brown decían que había que reformar el capitalismo porque si no se frena se canibalizará" y concluye Cebrián "Otro dato preocupante, se ha deteriorado la libertad en nombre de la seguridad, pero sin libertad no hay seguridad".
Los Estados, antes soberanos ahora pueden quebrar, un despropósito de la era moderna. Cada Estado es el fruto de equilibrios internos que parten de la participación popular, hasta la repartición de los poderes institucionales, legislativo, ejecutivo y judicial. En nuestro ordenamiento moderno hay tribunales, un parlamento y un gobierno. Si el Estado moderno puede quebrar es porque existe un poder

superior, un poder global. Pero globalmente no hay tribunales. No hay un parlamento mundial.

No existe un gobierno global. ¿Entonces este poder superior a quién rinde cuentas? ¿A quién nos referimos para descodificar esta jerarquía mundial?

¿Quién mueve los mercados mundiales? ¿Quién dirige la finanza mundial? La alternativa es no tener que depender de este poder oculto mundial. No estar subyugados a algo que ni siquiera sabemos qué es.

El Nobel Hayek es un antagonista de la doctrina keynessiana que ha dado lugar a una gran historia de inflación. Sólo durante doscientos años, entre 1714 y 1914 en Gran Bretaña y entre 1749 y 1939 en los Estados Unidos, los precios se mantuvieron estables. En este período único de la historia moderna, "la estabilidad del oro impuesta a las autoridades les ha impedido abusar de su poder como siempre lo han hecho". John Mayanard Keynes es definido por Hayek como un "hombre de gran intelecto, pero con un conocimiento limitado de la teoría económica", que ha llevado con su teoría a prestar poca atención a la tentación a la que los políticos no pueden resistirse, o sea la presión para tener más liquidez y con precios más bajos. El profesor en su trabajo enfatizó conceptos que 45 años después suenan a presagios. "La esperanza de tener una moneda estable significa encontrar una manera de proteger la moneda de los políticos", decía, continuando "Con la excepción de los doscientos años de patrón oro, prácticamente todos los gobiernos en la historia han utilizado su poder exclusivo para saquear y defraudar a la gente. Toda la historia contradice la creencia de que los gobernantes nos proporcionaron una moneda más segura que la que hubiéramos tenido sin su intervención".

¿Por qué no se debería permitir a los ciudadanos utilizar la moneda que más desean? "No tengo objeciones - escribe el profesor austriaco - a la injerencia de la política en la moneda pero ellos reclaman el monopolio y limitan el uso de una determinada moneda para transacciones en su propio territorio y determinan los porcentajes a los que debe cambiarse la moneda" .

Los beneficios de una moneda libre son evidentes según Hayek, y la prueba radica en el hecho de que "Si legalizas la libertad de elección sobre las monedas a utilizar, los ciudadanos comenzarán a operar de manera inmediata y rápida con la moneda que les inspirará más confianza. Esto liberará a los Estados de la inflación y el desempleo", asegura Hayek.

Mientras escribo esto, Recep Tayyip Erdogan, presidente de Turquía, ha prohibido el uso de cryptomonedas. La razón parece clara. La lira turca está perdiendo el 17% de su valor. Y ha llegado a perder casi el 70% de su valor total.

La moneda turca se encuentra en gran dificultad por el motivo indicado por el nobel Hayek. La inflación. Il Sole 24 Ore, el principal periódico económico y financiero de Italia, titulaba "Soberanía y moneda herida: la lección turca". Y se lee "En agosto de 2018, la inflación había alcanzado un nivel récord del 25 por ciento. El análisis económico e histórico nos dice que la política monetaria es eficaz sólo si es creíble; a su vez, la credibilidad tiene como condición necesaria la separación entre política y moneda".

Por tanto, sería deseable un debate inclusivo sobre la nueva tecnología, frente a una estigmatización contraproducente que sólo conducirá a una fractura social. Las prohibiciones terminan generando un mercado negro o alternativo.

De cualquier forma se desarrolle este tema, la impresión es que la revolución bitcoin continuará independientemente de las prohibiciones de Erdogan, de Venezuela, de Mongolia, por nombrar unos ejemplos. Los únicos que sufrirán las consecuencias serán los ciudadanos de estos países.

El mercado de las cryptomonedas ha alcanzado los 2,2 mil millones de dólares y la comunidad crypto reúne a las mentes más brillantes del mundo para construir lo que en la jerga del sotobosque se llama CryptoUtopía. Es imposible negar que al observar todos los ángulos de este fenómeno no se está tratando única y exclusivamente de un fenómeno especulativo. La impresión es que se acerca más a una especie de revolución que también lleva años contagiando a la política.

La necesidad más común es la búsqueda de una nueva forma de vida. Este tipo de utopía se mezcla con el fanatismo, el populismo y cualquier otro "ismo" que signifique un alejamiento de un modelo de comunidad obviamente ineficaz. Tanto desde el punto de vista financiero como social, surgen feroces acusaciones desde la CryptoJungla y bitcoin representa un ataque frontal a la organización colectiva actual. Quienes compran bitcoin están pagando un *crowdfunding* global para financiar un nuevo megaproyecto participativo, gratuito y de código abierto, que lleva años proyectando una nueva forma de organizarnos. En el mundo crypto el estandarte de bitcoin representa algo más, que puede ser representado por el *tweet* del trader youtuber David Battaglia, "La gente

no lo quiere entender pero hay una guerra contra el ser humano y #Bitcoin es de las pocas armas que nos defienden".
Parece más un cuento o una historia de hadas. Al menos así lo retratan los burócratas de la información y aquellos que se han perdido el tren del progreso tecnológico. Pero realmente está sucediendo, está sucediendo en estos años, en estos meses y en estos días y también con un entusiasmo tremendo, a veces con verdadero fanatismo, por parte de los pequeños inversores, pero también de las grandes máquinas financieras que han sido protagonistas hasta la fecha.
La información debería ser la base de este debate, pero las nociones sobre este nuevo mundo están al alcance de todos de una manera fragmentada, atómica y plagada de tópicos engañosos.
Por ahora hay una gran confusión. La misma confusión que surgió hace veinte años con el fenómeno del modelo *low cost* en Europa. No estaba claro si se trataba de una estafa o si eran simplemente aerolíneas peligrosas para la seguridad humana.
En realidad el modelo *low cost* ha demostrado su eficacia al convertirse en el modelo ganador. Las compañías de bandera han mostrado todos sus defectos y han sufrido para tratar de curarlos. A pesar del fallido intento de darles mala reputación y con los medios de comunicación en contra, los gobiernos en contra, los pasajeros siguieron comprando y multiplicando los viajes de forma exponencial.
Europa con *low cost* se ha movido y mezclado como nunca antes había sucedido en la historia del ser humano. Un fenómeno nada secundario, pero en los club *posh* decir *low cost* se ha tomado como una señal inequívoca de "no tener dinero".
Ahora llega el turno a las finanzas. El tsunami de *low cost* está a punto de transformar este sector y la sociedad no parece tan preparada para cabalgar este cambio.
Bitcoin es sin duda una respuesta a los problemas que crea la organización colectiva actual. En lugar de ser objeto de los intereses de la Cnmv, que prohíbe el aspecto marketiniano de un activo altamente volátil, el bitcoin como estandarte de la revolución blockchain debería debatirse colectivamente e incluso en el parlamento.
Lamentablemente, la respuesta de las instituciones por ahora es decepcionante. Si se les pregunta sobre bitcoin, las altas esferas gubernamentales guardan silencio. Eluden. Se habla del fenómeno en Europa solo conectándolo al terrorismo y al blanqueo de capitales.
La Unión Europea ha aprobado bitcoin y las cryptomonedas "con reserva" y ha señalado la obligación de los Estados de incluir la figura de

"moneda virtual" en su legislación. La Directiva de la UE 2018/843 del Parlamento Europeo reconoció oficialmente las cryptomonedas, estableciendo sin embargo que todos los proveedores de servicios de billetera digital deberán verificar la identidad de sus clientes e introducir políticas *kyc* (*know your customer*, conozca a su cliente). El motivo es principalmente prevenir delitos como el fraude fiscal, el robo de identidad, el blanqueo de capitales y el terrorismo financiero. La cuestión de las cryptomonedas ha sido enmarcada por las instituciones europeas como sinónimo de blanqueo de capitales y terrorismo. España tiene prisa - en un mundo carcomido por la publicidad - por bloquear cualquier promoción de bitcoin en las ciudades. La gente no tiene por qué saberlo. Se lanzan continuos anatemas de control.
A finales de abril en un decreto el gobierno ha tomado una decisión sobre el mundo crypto asociándolo una vez más a una herramienta peligrosa, que hay que controlar. Desde ahora según el decreto "Las plataformas de cryptomonedas y las wallet estarán obligados a informar de blanqueo de capitales"[57].

Frágil Control

Es extraño porque en la CryptoJungla sin reglas, youtubers, páginas web, comunicaciones en foros web, conferencias en Telegram, *marketplace*, mensajes en Telegram, en Twitter, etc. siempre se repiten "atención no os apalanquéis", "Cuidado con las inversiones", "Calculad bien los riesgos", "No inviertas si no sabes". Es como la publicidad del alcohol que te advierte sobre un consumo responsable, pero no en letra pequeña, sino a caracteres cubitales. Siempre y por todos los lados hay advertencias de este tipo. Ciertamente, no se puede decir que no esté advertido, porque el aviso está en rojo brillante en todas las paredes.
En las finanzas tradicionales, estas advertencias ahora están contenidas en folletos informativos que básicamente son documentos largos en letras minúsculas y que se firman digitalmente. Páginas, incomprensibles para la mayoría, que te advierten de los riesgos. Esta es la novedad introducida después del desastre cocinado por la finanza segura e institucional en 2008. El crack de 2008 se ha gestado desde la década de los noventa cuando el modelo bancario estadounidense invadió Europa con productos de ahorro y portadores de una opulencia inesperada. Han llegado los señores encorbatados del otro lado del

[57] CincoDías 27 abril 2021.

charco a vender unos productos pésimos a nuestros bancos que en rigor proverbial han detectado una gran ocasión. Conocemos el resto de la historia. Las consecuencias de un comportamiento absolutamente irresponsable han recaído sobre los ciudadanos. Sobre los desahuciados, echados de sus casas, ahora propiedad de los fondos buitre.
En este panorama, es difícil ver cómo se puede discriminar la libertad financiera del control absoluto. El control absoluto es "frágil". El control absoluto es un grave error de nuestra civilización, primero porque es imposible por definición y segundo porque el control absoluto es un síntoma de gran fragilidad. La historia reciente ha demostrado que no es la respuesta y no garantiza la protección, de hecho es una boa constrictor que poco a poco estrangula a todos.
Atrás quedaron los días de los productos ventajosos o los intereses en las cuentas bancarias. Ahora tener una cuenta bancaria cuesta dinero. Las comisiones son cada vez más ocultas y constantes. Los abusos también. ¿Por qué hablo de abuso? Lo veremos pronto.
Esta respuesta institucional que apunta al blanqueo de capitales o al terrorismo muestra que no han comprendido del todo el significado de este fenómeno y la oportunidad que representa para la ciudadanía y para el propio Estado. Y demuestra el grave error de seguir queriendo controlarlo todo, a pesar de los pobres resultados obtenidos. Necesitamos una organización colectiva que comprenda la naturaleza del control absoluto como un error. Necesitamos transparencia, no control. Necesitamos un sistema de convivencia "antifrágil".

Veneno para Ratas

La blockchain garantiza la transparencia y gracias a esta transparencia podremos vivir con una nueva libertad financiera. Estamos ante una tecnología revolucionaria que tendrá aplicaciones de todo tipo, no solo relacionadas con las monedas.
En el universo blockchain, las cryptomonedas son algunas de las estrellas. Pero hay millones de constelaciones que pueden cambiar la forma en que hacemos las cosas. Por supuesto, se necesita cierta imaginación y sobre todo fe, porque la tecnología tiene el gran poder de ser el resultado de lenguajes ocultos, incomprensibles para la mayoría, pero estos circuitos mentales, el resultado de cálculos *very big data* adjuntos a la casi imposibilidad de verificar, lo que hay detrás, necesitan un acto de fe. Esta fe crea valor y, a menudo, en debates ligeramente *vintage*, el concepto productivo que existe detrás de esta

enorme máquina de programación no se comprende completamente, probablemente debido a la falta de conocimiento tecnológico.
Un ejemplo lo dan Warren Buffett, considerado uno de los mayores inversores del mundo, y su socio Charlie Munger. Ultranonagenarios[58]. Los dos inversores desde las pantallas de la famosa televisión estadounidense Fox Business manifiestan su escepticismo repitiendo siempre el mismo mantra "Bitcoin no es una moneda, no me sorprendería si desapareciera en 10 o 20 años". En la televisión Cnbc, Warren expresó su punto de vista subrayando que "Bitcoin no crea valor, una granja sí lo crea, pero bitcoin no, si lo plantas no sale una plantita de bitcoin, no produce nada - y continúa Warren - Hay un montón de charlatanes que están intentando crear un mercado. Es como hacerse rico comprando algo que tu vecino ha comprado y se ha enriquecido, para luego revenderlo y volver a comprarlo. En la práctica estás comprando algo esperando que alguien más quiera comprarlo. Es un activo no productivo".
Charlie Munger, por su parte, será recordado por su *verve* y precisión. "Bitcoin es veneno para ratas", declaró en Fox en 2013. En 2014, dado el boom del bitcoin, comenzó a retractarse en Fox Business, diciendo "Creo que el gobierno debería emitir esta moneda". Otra vez en Fox, la noticia es reciente que China ya ha quebrado el sistema blindado de la cadena de bloques de bitcoin para utilizarla como arma financiera para noquear a los Estados Unidos.
Entre los grandes detractores también el célebre empresario Daniel Steven Peña con su famoso e inolvidable "¡Bitcoin se va a cero! ... ¡Cero!". El señor Peña al parecer se disculpó años después por esta infeliz declaración desmentida por la realidad, hasta ahora.
A menudo, los medios oficiales siguen insinuando que bitcoin y su familia de altcoin son una burbuja lista para estallar. En verdad, Bitcoin como blockchain ha lanzado una revolución imparable y por ahora la cabalga apoyado por la confianza mundial en todos los niveles, desde abajo hasta las estrellas, desde el niño con visera, hasta la granja en África, desde el palacio de cristal, a las casas con la olla que burbujea, desde Internet hasta el Nasdaq. Una confianza general certificada.
Detrás de bitcoin hay un ejército de mentes despiertas y preparadas que llevan a cabo este proyecto colaborativo. Han invertido en bitcoin instituciones, bancos y desde el 14 de abril de 2021, la Bolsa de Valores

[58] No es *ageing*, es crónica.

de Nueva York también cree en él. Bitcoin puede eventualmente perder valor frente al dólar, pero la revolución que ha provocado es imparable. Por esto es necesario simplemente estar atentos, estudiar y formarse una propia idea, pero no limitarse a dos titulares de periódico y una frase de Fox. Porque al fin y al cabo ya sabemos, por experiencia, que "se van a caer, son aviones peligrosos", como decían de las aerolíneas de bajo coste. En realidad las aerolíneas *low cost* nunca han tenido un accidente fatal en Europa[59] y tienen los aviones más nuevos, seguros y menos contaminantes. "Terminarán en el olvido", dijeron, pero ultraconquistaron el mercado y cambiaron sus reglas a nivel mundial, ganando el desafío con las aerolíneas nacionales en su sector de corto radio. Con bitcoin, la historia mediática parece repetirse. Por eso es necesario aprender cada vez más evitando sacar conclusiones superficiales y sumarias.

En Madrid, por ejemplo, una mañana de marzo de 2021, muchos ciudadanos descubrieron por primera vez que bitcoin estaba más cerca que nunca de sus vidas. Mientras los coches pasaban zumbando por la Plaza de Cibeles o Calle Alcalá, bitcoin destacaba en los carteles publicitarios de Bit2me, un nuevo "banco" español de cryptomonedas. Los carteles empapelaban el centro de la ciudad. Vi a decenas de personas tomando fotos y sonriendo junto al logo de bitcoin. Una verdadera sorpresa. Todavía no habíamos visto un despliegue masivo de publicidad de la moneda granuja. Y obviamente, dado el carácter coercitivo de nuestra relación colectiva, las autoridades se apresuraron a prohibir estas publicidades. El ministerio de economía evidentemente ve a bitcoin como un peligro, no como una oportunidad.

En Times Square, en el centro de Nueva York, destaca en las famosas pantallas gigantes un histórico "In Satoshi We Trust", una promoción de bitcoin. En Madrid todas las publicidades nada más aparecer han sido prohibidas.

Con todo el esfuerzo del mundo es muy complicado entender si estamos jugando el mismo partido. Si esta es una señal de eficiencia. Siendo sincero a primera vista no lo parece. De hecho la sensación para nosotros mediterráneos y europeos en temas de economía y finanzas

---

[59] El único accidente que involucró a una aerolínea de bajo coste fue Germanwings, la *low cost* de Lufthansa, debido al presunto suicidio del piloto durante el vuelo. No fue un fallo técnico. El único avión de una compañía *low cost* que tuvo un accidente en la historia fue de la brasileña Gol en 1986. Las aerolíneas nacionales han tenido numerosos accidentes fatales a lo largo de su historia. Pero en comunicación las peligrosas eran siempre las *low cost*.

parece de estar jugando a Monopoly sin ficha ni dado. Con el freno tirado constantemente. Desde hace 10 años el gobierno bombea un tremendo "Sé emprendedor, nosotros te ayudamos". Florecen cursos del ministerio de economía que te explican cómo utilizar Adwords de Google (sic!) o sea un gobierno europeo que te explica como estrategia de base para salir de la crisis cómo pagar a una empresa estadounidense para llevar mejor tu business. Pero luego si en el mega laboratorio de startup que ha nacido en Madrid postcrisis prospera una empresa como Bit2me o 2gether le cortamos las alas para que no pueda competir con los estadounidenses.
De verdad, no creo que esto tenga una lógica.
Lo único que se me ocurre es que el sistema que tenemos es ineficiente. Quien decide evidencia falta de conocimiento, testigos de roles inadecuados, causados probablemente por protección de los feudos, por dominancia de la burocracia constituida por millones de microfeudos. O simplemente las instituciones que deciden no son capaces y en estos argumentos, como en muchos otros, no están demostrando saber responder a las necesidades reales de un mundo que cambia a enorme velocidad.
Es otro ejemplo de fractura generacional.
Pero lo más problemático es que en un período como el que vivimos, con salarios cada vez más bajos, trabajos cada vez más precarios, con el derecho laboral - que estudié hace veinte años en la Universidad de Derecho - aniquilado tras ser conquistado durante siglos de luchas, en una situación como esta, se mire a una revolución que potencialmente mejorará nuestras vidas y que financieramente representa el activo más interesante de los últimos diez años, se acoja esta revolución con afán de castigo y con negación, con rechazo. Además en los últimos años vivimos con un insistente "lánzate, sé emprendedor, salgamos todos juntos de la crisis", un período en el que en teoría se quería ayudar a que las startup florecieran.
¿Queremos que florezcan o que no florezcan?
Las últimas reglas lanzadas por el decreto de abril sobre *exchange* y wallet solo afectan a las cryptoempresas jóvenes españolas, obviamente no a las que tienen su sede en Bahamas. ¿Os parece una estrategia con visión de futuro? Obviamente, la regulación dirigida a un mercado maduro que favorezca una cierta seguridad y el pago de impuestos en la medida justa para el bien común es sacrosanta, pero el desconocimiento, la amenaza del control absoluto y la prohibición

como única medida, en un momento donde las oportunidades son enormes, es simplemente un comportamiento miope.
La reglamentación debe interpretarse en la luz correcta, es en la práctica "el primer paso hacia el reconocimiento de las finanzas descentralizadas y del avance imparable de los activos digitales. Supondrá una democratización de los servicios financieros, gracias a la posible reducción de costes y la eliminación de ciertos intermediarios", explicó Gloria Hernández Aler, socia de finReg 360 en las páginas de El País[60].
En los mismos días de la prohibición madrileña, el parlamento alemán ha aprobado que más de 4 mil fondos puedan invertir en cryptomonedas a partir del 1 de julio. La ley aprobada por el Bundestag se aplicará tanto a los *spezialfonds* ya existentes, como a los nuevos de compañías de seguros, instituciones financieras y fondos de pensiones. También el U.s. Bank, el quinto banco más grande de Estados Unidos, anuncia servicios financieros con Bitcoin como la custodia de las cryptomonedas. Société Générale y Bny Mellon también lanzarán sus propios servicios de bitcoin para clientes e inversores. Al mismo tiempo, Coinbase permitirá la compra de cryptomonedas con Paypal. El Banco Central de Irán permitirá los pagos con bitcoin para productos de importación, mientras el mundo celebra el primer lugar del mundo donde bitcoin es la moneda principal. Es una isla pequeña y se llama Bequia, de las Granadinas, lugar atractivo para gente muy rica[61].
Los que en España tienen la visión más clara de las negociaciones y de los negocios, o sea los vascos, se han lanzado - cómo no - al mercado crypto. A pesar de sus desajustes con sus clientes que cuento mas adelante en este libro, el Bbva uno de los bancos más grandes del mundo, se ha hecho de oro con las plusvalías de la inversión en el *marketplace* de cryptomonedas Coinbase. El banco invirtió hace seis años en la plataforma y el día 14 de abril, en ocasión del debut en el Nasdaq con un valor de 100 mil millones de dólares, generó para el banco español una plusvalía de 250 millones de euros[62].

---

[60] "Coto a los cryptoactivos: Cnmv los vigilará al mismo nivel que las acciones" CincoDias, El País, mayo 2021.

[61] "Cryptosemanal: Ethereum en máximos de 2.800 y los bancos abrazan bitcoin" observatoriobitcoin.com 4/2021

[62] "El debut en Bolsa de Coinbase hace de oro a Bbva con plusvalías de 250 millones" Cinco Días, 30 abril 2021.

En un contexto así es deseable que las instituciones centrales no aparezcan solo para mostrar los músculos de la coacción. Al lado del control, necesario solo si adoptado con moderación, debería estructurarse un discurso propositivo para que la gente se pueda acercar a esta nueva realidad financiera con juicio, con conciencia y con libertad. Ya la crisis de 2008 ha enseñado a no meterse ciegos en las inversiones, ahora es el momento de tratar a los ciudadanos como personas capaces de entender, capaces de arriesgar, si bien informados. La información, no la demonización sin argumentos, es la vía que hay que adoptar.
Europa da la impresión de estar conducida por una generación de mentalidad demasiado antigua. En los últimos veinte años perdimos trenes importantes en tema tecnológico, mientras estábamos concentrados en hacer pagar las culpas ancestrales a Grecia y en obligar a poblaciones enteras a vivir unos años de sacrificios poco previsores y clarividentes. Mientras, en el otro lado del charco nacían y crecían como plantas invasoras Google, Facebook, Whatsapp, Instagram, Amazon, etc.
¿Dónde están los Google, Facebook, Whatsapp, Amazon europeos? ¿No os parece que es un error enorme no haber permitido florecer esta tecnología en nuestros territorios? ¿No os parece una irresponsabilidad enorme haberos centrado en la *austerity* en vez de promover nuestro *know how*? En Europa, en Italia, en España, en Alemania, en Francia, somos perfectamente capaces a nivel técnico y teórico de crear esta tecnología. De hecho muchos de nuestros cerebros están contribuyendo a la escalada de estos colosos tecnológicos. ¿Dónde está nuestro poder de atracción europeo?
A lo mejor, más que el bienestar y el progreso se ha creado el feudo, con personajes medievales y una corte digna de Versalles de los tiempos de Luis XIV, del Rey Sol, llena de burócratas de palacio muy bien pagados y con poca preparación para los desafíos reales de nuestra generación. Una corte faraónica de soldados de powerpoint y pdf prescindibles encapsulados en una gran esfera de cristal con atmósfera modificada y llena de privilegios. Desde allí dentro quieren entender lo que pasa en el mundo.
La pregunta tajante es: ¿vamos a cometer el mismo error ahora con el mundo crypto, solo porque quien manda en Europa tiene una mentalidad antigua, no en su pasaporte, sino en su espíritu? No me malinterpretes, no es *ageing*, es proposición. Creo que ya pagamos

demasiado la falta de visión del feudo a nivel tecnológico, a nivel de vida cotidiana, a nivel de poder adquisitivo, a nivel de derechos.
Todos nuestros datos están en manos extranjeras. Hemos permitido que los colosos del tech pusieran sus raíces profundas en nuestra tierra, sin tributar lo óptimo y lo esperado. Ahora que tenemos una gran oportunidad donde está colaborando espontáneamente el mundo entero, las famosas mentes brillantes de que hablo continuamente en este libro, ahora que se abre un mundo de oportunidades nuestras instituciones aparecen solo como censores, en Europa como en los Estados del Sur.
Se impondrá el sentido común de la gente que si tiene la posibilidad elige lo que es mejor para su bienestar.
Es conveniente un cambio de mentalidad. Es patente la incapacidad de entender el mundo virtual de nuestros gobernantes. Pero no estaría de más que se abriera un debate para que sigan este tema de manera concreta personalidades formadas a entender lo que está pasando.
Es como si no se quisiera dejar libres a los ciudadanos para que tengan la última palabra sobre la vida que quieren emprender.
Parece que los únicos cauces de vida deben ser los de la subordinación, de las clases sociales acorazadas y no intercambiables. Del vasallaje. Es realmente extraño que no haya una reflexión profunda, colectiva e intelectual sobre estos temas.
También hemos llegado a este punto debido a un peligroso corolario identificado por el escritor Moisés Naím en su libro "El fin del poder". Nadie tiene el poder de cambiar nada. Ni siquiera los poderosos tienen el poder de tomar la decisión de cambiar algo. Todo está dividido en micro feudos de poder, donde todos tienen jurisdicción absoluta. El sistema se ha envuelto en sí mismo. Para decidir y ejecutar la máquina que es cada vez más grande, cada vez más compleja, cada vez más lenta y cada vez menos pura. Porque las corrientes de interés dominan la razón colectiva.
En la época actual concentramos todos los esfuerzos, energía y fuerza colectiva en la producción y la jerarquía, sin cultivar otras artes necesarias para nuestra supervivencia. Un mundo antiliberal lleno de frustración, que tiene como aliada la fluoxetina o el Prozac.
No significa que bitcoin resuelva todos los problemas de la sociedad, pero seguramente esta nueva bomba tecnológica resalte todos los déficits y la miopía de nuestra sociedad.

Bitcoin no significa hacerse rico o arruinarse, como también *low cost* no significa pagar poco. Ambos fenómenos tienen una cosa en común: la eficiencia.

Finanza Global

Cuando hablamos de finanzas pensamos solo en las oportunidades de nuestro mundo occidental. En realidad la finanza descentralizada que se basa en la blockchain va a suponer un enorme progreso para dos tercios del mundo. Los países donde se vive una inflación terrible y los países donde no es fácil para la mayor parte de la población tener una cuenta en un banco, bitcoin con su revolución representa una enorme ocasión. En zonas remotas y en países que buscan un progreso occidentalizado habrá una ocasión de unirse a la finanza global teniendo un ordenador y una conexión a internet. Existen ya ejemplos de comunidades donde bitcoin ha significado un cambio importante como cuenta por ejemplo el documental "Banking on Africa: The Bitcoin Revolution" de Tamarin Gerriety.
África subsahariana es la segunda población más grande de adultos no bancarizados en el mundo, alrededor de 350 millones de personas, el 17% del total mundial[63]. En Botsuana por ejemplo el satoshicentre.tech fundado en 2014, actúa como un centro blockchain y tiene como objetivo educar a las empresas. Plaas[64], lanzado por el Centro Satoshi, tiene como objetivo desarrollar una aplicación móvil que permita a agricultores y cooperativas agrícolas gestionar la producción y las existencias agrícolas diarias, en la blockchain. Kobocoin.com un ecosistema financiero que tiene como objetivo abordar las necesidades de los no bancarizados en los mercados. Senegal, Sierra Leona y Sudáfrica ven al mundo blockchain como una oportunidad.
A esto se une otro avance tecnológico. La difusión de Internet a cada esquina del mundo es técnicamente posible y se está desarrollando con velocidad. Elon Musk quiere conectar las zonas vaciadas con Internet vía satélite a través de Starlink, filial de SpaceX, que ha puesto en órbita un ejército de satélites que suministrarán conexión de alta velocidad por todo el mundo, sobre todo a sitios alejados de las grandes urbes donde la banda ancha no tiene alcance o el servicio es deficiente. También OneWeb, ha lanzado 146 satélites en órbita baja y

[63] "Blockchain and Cryptocurrency in Africa", Baker Mckenzie

[64] plaas.io

pretende crear una red de 650 aparatos alrededor de la Tierra y Jeff Bezos, con el Proyecto Kuiper, de Amazon, pretende poner en órbita más de 3 mil satélites antes de 2026. China pretende poner unos 10 satélites en órbita baja[65].

[65] "Elon Musk quiere conectar la España vaciada con Internet vía satélite", El País 30 abril 2021

TO THE MOON[66]
Buscando un sistema antifrágil

Los hombres más ricos del mundo están compitiendo para llevar el hombre permanentemente a la Luna y luego a Marte.
¿Para hacer qué? Probablemente para seguir produciendo y volvernos inmortales. La inmortalidad es una obsesión de los últimos tiempos. La Singularity University financiada por Google y la Nasa lleva años estudiando la enfermedad número uno del ser humano, al menos lo que ellos definen como tal, una enfermedad, es decir la vejez[67]. Gracias a los excepcionales descubrimientos de los últimos años, se ha encontrado una forma de aislar fracciones del genoma humano para modificarlo y reintroducirlo en el cromosoma. Se llama Crispr, una técnica revolucionaria que ha entrado de manera extendida en el día a día de nuestros hospitales. Una reprogramación del genoma que lanza la cuenta atrás de nuestras células, podría llevarnos a vivir indefinidamente e incluso más. ¿Para hacer qué? Probablemente, de nuevo, para producir cada vez más y consumir más y asegurar, dado el sistema actual, que aún más personas sean inferiores y reducidas a gusanos que se comen entre sí, mientras un Olimpo loco vive la realidad infinita y sobrenatural. Nadie sabe para qué se están investigando estos grandes descubrimientos y cómo serán utilizados. Nadie prevé una estrategia a largo plazo. Falta la visión general. El

---

[66] Directos hacia la Luna.

[67] Muy aconsejable la serie de entrevistas "Cuando ya no esté. El mundo dentro de 25 años" del periodista vasco Iñaki Gabilondo.

concepto se repite en bucle, siempre vinculado a la producción y la jerarquía. La dinámica se repite. Primero inventamos, luego vemos cómo usarlo.

Sin embargo, para poder alcanzar un nivel superior ultrahumano, todavía necesitamos encontrar una explicación científica para algo muy complicado. Estamos listos para ir a Marte, estamos listos para dominar el Universo con nuestro feudalismo, hemos descubierto y digerido las leyes fundamentales de la física terrestre, la química, hemos entendido de qué están hechos los agujeros negros y hemos descendido en la materia a nivel infinitesimal. Hemos podido jugar con la radiactividad y devastar la vida de nuestros semejantes. Pero todavía no hemos entendido bien nuestros cerebros. Y sobre todo nuestra conciencia. ¿Qué es nuestra conciencia?

Estamos tratando de encontrar el *quid* del cambio definitivo de nuestra existencia terrenal. Dudo que seamos capaces de descubrir nuestra conciencia con instrumentos científicos, es mucho más probable que la entendamos a través del arte, que no a través de la ciencia. "La ciencia como persecución de la verdad, es igual, pero no superior, al arte", confirmaba el ilustrado ganador del Premio Nobel Bertrand Russel[68].

La promesa es que en 2029 no será posible, según las previsiones, distinguir a un ser humano de un robot programado con inteligencia artificial. Se avecina un futuro posthumano muy *cyborg*, donde todo ser se acompaña, como ya ocurre en la versión prodrómica con nuestros *smartphone*s por ejemplo, con tecnología capaz de adaptarse a nuestras necesidades. Nuestros asistentes inteligentes serán parte de nosotros, se quedarán dentro de nosotros y afectarán nuestra vida.

Enviarán las flores a tu abuela, enviarán correos electrónicos importantes mientras jugamos al tenis, elegirán para nosotros las mejores soluciones a cualquier tipo de problema. Nos harán compañía. Mejorarán la vida de quienes tengan acceso a esta tecnología de vanguardia. Los demás quedarán relegados al papel de *homo neanderthalensis* dedicados a trabajar para producir continuamente en favor del Olimpo concentrado en supervisar y organizar la producción.

Más que un futuro distópico este es el verdadero rumbo que estamos tomando y, a diferencia de siglos pasados, cuando los cambios se producían gradualmente en el tiempo, ahora el futuro más impensable se materializará en unos años.

---

[68] The Scientific Outlook, 1931

En esta búsqueda del nuevo mundo nace la CryptoJungla. En ella a veces aparece en el cielo la figura mitológica del "tío" Elon Musk, quien como Aeolus hincha las olas con su soplo. En su caso, el soplo es con un *tweet*.

El más famoso fue el 29 de enero cuando apareció en su perfil de Twitter la palabra "bitcoin" con su símbolo[69]. Esto fue suficiente para que el precio de la cryptomoneda subiera varios miles de dólares en poco tiempo. Otros *tweet* también han sacudido el mercado provocando repentinas subidas de precios y las consiguientes caídas en picado.

Elon Musk es el representante supremo de la nueva figura de la CryptoJungla del "financiero social" capaz de mover el mercado con su influencia. Es un tipo en línea con el nuevo mundo, el emprendedor visionario que ha reunido un capital enorme para construir los coches que se conducen solos y los cohetes que llevarán el hombre de regreso a la Luna, próxima parada en Marte.

La Nasa, la agencia espacial estadounidense, ha anunciado un acuerdo de 2,9 mil millones de dólares para la próxima misión: el supercohete Starship tendrá que llevar humanos a la superficie lunar. Se acerca la reconquista de la Luna.

El empresario sudafricano que nos llevará al Universo para crear una nueva civilización extraterrestre posee una suma de bitcoin de más de 5 mil millones, según *twiteado* (sin indicar las fuentes) por el empresario estadounidense Anthony Scaramucci. Musk cree mucho en las cryptomonedas y su tecnología. Y cree que los *nft*, los token no fungibles, se convertirán en el futuro en las reservas de valor más seguras.

Mientras que Estados Unidos tiene sueños estelares, Corea del Norte se muere de hambre. Kim Jong-un admite: "Prepararse para tiempos difíciles". Esto es el capitalismo. Un juego de dar y quitar[70]. Todos quieren aprovecharse del infortunio ajeno. Ahora estamos llenos de galletas en el supermercado. Hasta hace poco, la clase media podía mantener su familia con un solo salario. Los niños podían ser educados gratis. Las vacaciones eran posibles, junto al mar y con los esquís. Todo

---

[69] Cuando escribes bitcoin en Twitter, aparece automáticamente el símbolo de la cryptomoneda "₿".

[70] "Capitalismo, una historia de amor" documental, director Michael Moore.

iba a toda vela, cuando llegó el Black Swan[71], el Cisne Negro, Ronald Reagan, un verdadero *cow boy* que se convirtió en el *front man* de las corporaciones. A su lado Donald Regan, presidente de Merill Lynch, el corredor de bolsa más grande del mundo. Para muchos, el cerebro del gobierno de los Estados Unidos en ese momento. La productividad subió un 45%, mientras los salarios se quedaban prácticamente planos. Una curva paralela a la abscisa. Para los estadounidenses más ricos se redujo el Irpf en un 60%. Como resultado, las deudas aumentaron en más del 100% en veinte años. La "gente normal" necesitaba dinero para crecer. Los antidepresivos aumentaron en un 350%. Los seguros se encarecieron mientras que la bolsa aumentó su volumen en un 1300%. Se trabaja más, se tienen más cosas. Se tiene cada vez menos tiempo. Cada vez menos sociabilidad. Cada vez menos felicidad. Cada vez menos derechos. Cada vez más estrés. Cada vez más depresión. Las compañías de seguros en los Estados Unidos llegan a tener pólizas tétricas llamadas "del campesino muerto", donde si el subordinado muere, el patrón gana su pensión. Citibank en 2005 dijo a sus inversores que Estados Unidos no era una democracia, sino una *plutonomy* en la que el 1% tenía hasta el 99%. Según sus análisis, la mayor amenaza podía llegar de la posible rebelión de la población. Si la mayoría creyera en el cambio y votara en consecuencia por un cambio, seguro que ganarían.

Pero afortunadamente para el poderoso 1%, los demás mantienen el *status quo*, se mantienen quietos sin revertir esta situación porque cada uno de ellos espera con avidez e hipoteca todo su tiempo, su karma, su destino, su camino de crecimiento personal por intentar desesperadamente ser el próximo afortunado en entrar en el Olimpo. Y como moscas contra una bombilla encendida, luchan sin sentido. Suben sus miserables posiciones, pero nunca llegarán al Olimpo. Solo quedará una vida de trabajo, competitividad, soledad, absoluta falta de sociabilidad y sobre todo de tiempo. Glorioso, ¿verdad?

Las corporaciones se han vuelto tan grandes como los Estados, organizadas de manera piramidal, los líderes se eligen "a dedo". Si queremos ser honestos a primera vista muchos son infelices, deprimidos y no ven alternativas en el horizonte.

Pero, ¿y si las empresas estuvieran organizadas como una democracia o como una comunidad extendida?

---

[71] "Black Swan", Nassim Nicholas Taleb.

Trabajar en corporaciones requiere una habilidad específica que ha desplazado el eje de atención del contenido del trabajo al "saber resistir" en medio del fuego cruzado de un entorno hostil y competitivo. Si aprendes a trabajar y a defenderte en este entorno ganas poder, eres recompensado con buenas ganancias.
Si te gusta estás en la cresta de la ola. Compras más motos, más autos, presumes de tu estatus tanto como puedes. Todo lo que pueda llevarte a obtener el respeto obligatorio de los demás te agrada, te hace sentir fuerte. Lo lograste. El viento de la mañana pasa por tu rostro mientras te das cuenta de que nadie podrá sacarte de ese pedestal dorado. Y así lo defiendes, lo fomentas. Tratas mal a los inferiores porque eres superior. Hice enormes sacrificios para ser superior. Y soy superior. Claro, ves cosas abominables todos los días, pero así es la vida. Tienes cada vez menos tiempo y menos amigos. Tu familia es una carga, te equivocaste al casarte y tener hijos. Ahora estás lleno de gastos. No es posible que quieran ponerme en un erte[72]. Quieren cambiar mi contrato. Pero ahora, ¿cómo pago la casa, la otra casa, las motos, las universidades de mis hijos? Tengo un salario asombroso, pero los malditos impuestos me estrangulan. Otro champán en el restaurante, en la discoteca para confirmarme que yo puedo. Si me echan, ¿qué hago? Doctor, necesito ayuda. "Tome una pastilla cada día". Perdí también a mi amante. Nunca pensé que me volvería impotente. En el mismo instante el jefe de tu jefe, de tu jefe, de tu jefe, de tu jefe, de tu jefe desliza con avidez la lengua en un helado de trufa blanca con pepitas de oro y un toque de caviar.

¿Qué es el Éxito para ti?

Durante la larga gestación de la película "El Dulce Sabor del Éxito" que dirigí, tuve que conocer a numerosos productores y distribuidores. En uno de los miles de encuentros, el instituto español de comercio exterior organizó un taller con un gurú del mercado documental. Después de mostrarnos algunos trailers de películas que lo "petaban" en el mercado, había encuentros *one- to-one* con él para contarle de tu proyecto y él, mucho más youtuber de lo que podía haber imaginado, desde su bola de cristal de conocimiento del mercado te ponía en frente de la realidad. Al menos ese era el objetivo.

[72] Expediente de Regulación de Empleo Temporal (ERTE).

Siempre he encontrado estas situaciones muy aburridas y también indudablemente perniciosas.
Después de "confesarme" con el tipo, seguimos charlando sobre documentales hasta que, siguiendo el flujo de la conversación, le pregunté: "¿Has visto 'Zeitgeist'?".
Me contestó con su mejor cara de póker, como se dice en España.
"Zeitgeist, The Movie"[73] es una película que Peter Joseph puso en línea y que ha visto mucha, mucha gente en todo el mundo[74]. Más de 500 millones de visualizaciones hasta 2020. Considerada una de las películas más vistas de la historia. El documental relaciona el cristianismo, el 11-S y la Reserva Federal Americana. El "cineasta por casualidad" Peter Joseph lanzó este documental en 2007 - definido por muchos como poco riguroso en las fuentes y conspiranoico - para informar sobre los posibles planes de los líderes mundiales para crear un banco central mundial. "The revolution is now", era el subtítulo.
La gente de Internet lo encontró muy interesante y como curiosa coincidencia en 2008 una entidad misteriosa con el nombre de Satoshi Nakamoto dio a luz la idea que resultaría revolucionaria. Un sistema financiero global descentralizado llamado Bitcoin.
"Hemos estado fragilizando la economía, nuestra salud, vida política, educación, casi todo ... suprimiendo la aleatoriedad y la volatilidad. Esta es la tragedia de la modernidad: al igual que con los padres neuróticamente sobre protectores, los que intentan ayudar a menudo son los que más nos hacen daño. Estamos presenciando el surgimiento de una nueva clase de héroes inversos, es decir, burócratas, banqueros, que asisten a Davos y académicos con demasiado poder y sin desventajas reales y/o responsabilidad. Juegan con el sistema mientras los ciudadanos pagan el precio"[75].
El éxito de nuestra sociedad ha sido hacer posible la producción de tecnologías increíbles, pero el problema es tener éxito solo a nivel tecnológico y a nivel de producción dirigida al mercado.
Como si este pudiera ser el único ejemplo de expresión de quiénes somos. Una sociedad más libre para crear y comerciar conducirá a

---

[73] Su secuela, Zeitgeist Addendum, concluye presentando el concepto de una sociedad basada en la tecnología y la abundancia de recursos, a partir de la influencia de ideas de Jacque Fresco y el Proyecto Venus.3 (Wikipedia)

[74] Toda la saga está disponible y en abierto zeitgeistmovie.com/watch-now.

[75] "Antifragile", Nassim Nicholas Taleb.

metas múltiples y saludables para nuestro progreso. Somos capaces de organizarnos pero finalizamos todos nuestros esfuerzos en la compraventa. Todo lo que se encuentra fuera de una compraventa ha perdido por completo su valor social. Y es una gran oportunidad perdida no enfocarnos de la misma manera en temas de diferente índole y no relacionados con el mercado, pero muy útiles para mejorar el bienestar de la mayoría.

Si las democracias se basan en el apoyo de la mayoría, las decisiones que se tomen deberían beneficiar la vida de la mayoría, pero la dirección a la que apuntan todos indistintamente es tener la suerte de ser parte de la minoría privilegiada.

El comunismo ha creado, como a menudo escucho de mis amigos cubanos expatriados en Madrid, una pobreza distribuida. Todos pobres y gran miseria. Un sistema que se ha extinguido por la deriva pobre de los bienes materiales y de productividad, con un penoso déficit de libertad. Esto significa que el capitalismo explotara y se incendiara aún más poderosamente, porque la caída de aquel tipo de orden político había dado la certeza de estar en el camino correcto.

El capitalismo se ha confirmado como sinónimo de éxito.

En el significado del éxito se juega toda nuestra existencia. Y a pesar de esto, no está suficientemente cuestionado.

El debate sobre el éxito en nuestra sociedad debería tener una centralidad que aún no tiene. Todos saben lo que significa tener éxito en nuestra comunidad. Podría contar las cabezas de todos los que pasan frente a mí desde lejos y podría apostar con un porcentaje bajo de error, que sabría perfectamente pintar su idea de éxito. No porque sea adivino, sino porque es siempre la misma para todos. Y esa es una muy mala señal de nuestra comunidad. También el concepto de éxito debería estar más diversificado en una sociedad sana.

He podido observar un aumento de personas con el "clásico" éxito manifiesto que se plantean serias dudas sobre el significado personal del éxito. Solo la conciencia puede dictar a cada uno lo que es el éxito. Muchos fruncen el ceño ante estas palabras porque las consideran confusas o incluso superficiales.

Otros las tildan de teóricas. La razón del rechazo de la idea de conciencia deriva de la obsesión por el control que está muy extendida en nuestra sociedad. Todo debe estar bien calculado y clasificado con los cinco sentidos. Además, debe ser replicable, comprobable al menos en un porcentaje muy alto y debe tener un nombre asociado a él. Todo lo que se escapa a este esquema significa arrojar humo a los ojos, vender "sinsentidos", como si fuera un cuento de Charles Ponei, Charles P. Bianchi, Carl Carlo[76]. Las únicas cosas que importan son las que se pueden calcular. Controlables. Esta mentalidad totalizadora frente a la conciencia abruma porque estamos listos para volar a Marte para colonizarlo, hemos llegado a conocer partes infinitesimales de nuestra realidad, pero aún no tenemos idea de lo que realmente somos. La conciencia es algo desconocido, como el funcionamiento profundo de nuestro cerebro.

No sabemos para nada por qué razón se enciende la vida sobre la química. Por eso, hasta que no se haya dado un nombre y se pruebe su existencia con posibilidad de verificación, hasta entonces no se puede hablar seriamente de conciencia. Debido a esto, nadie se hace una pregunta fundamental que existe desde hace 3 mil años. Γνῶθι σαυτόν, *gnothi seautón*. Explórate. Conócete. Pero no para perder el tiempo. Todo lo contrario. Para saber qué es el éxito para ti. Incluso los hedonistas se han convertido en seguidores del placer físico y emocional en nuestra época actual, en busca de una satisfacción ingenua e inmediata de impulsos y deseos, algo que, llevado al extremo, solo puede conducir a una vida vacía.

El materialismo absoluto ha eliminado el concepto de éxito. Lo secuestró. Por esta razón, el fármaco más vendido es Prozac y la fluoxetina. Una sociedad deprimida y solitaria. Cada vez más sola. Una sociedad cada vez menos protegida por los afectos personales, donde se extiende la plaga de la soledad.

Los ancianos mueren y los vecinos, preocupados por seguir la rueda infinita de su trabajo, de sus consumos, se dan cuenta de la muerte solo cuando un olor pestilencial los invade. Sentirse solos altera el sueño y el sistema inmunológico. Aumenta el riesgo de estrés e infarto. Sentirse solo es como fumar 15 cigarrillos al día[77].

En el documental "La teoría sueca del amor" de Erik Gandini, entran en la casa de un hombre que murió solo y descubren por sus papeles que era multimillonario.

Uno muere solo porque la comunidad se ha disuelto. La comunidad y la sociabilidad se confundieron inmediatamente con la miseria

[76] Todos son apodos de Charles Ponzi, un genio de principios del siglo XX. Famoso por una gran estafa. Ponzi inventó un sistema muy similar al adoptado por los visionarios financieros que generaron el crash de 2008.

[77] @VictorLapuente, El País.

comunista. Nadie ayuda a nadie, de lo contrario despertamos los espíritus enterrados del comunismo. Lo importante es ir a trabajar todos los días, pase lo que pase y ¿para qué? El trabajo es la meta, no un medio.
En una estadística de Yougov, organismo estatal del gobierno británico, se estima que el 30% de la población está segura de la absoluta inutilidad de su trabajo, como indica David Graeber[78] en su elocuente libro "Shit Jobs", donde recogió el testimonio directo de muchas personas que describieron la inutilidad de su trabajo.
El único trabajo válido es el que conduce al éxito, según el teorema actual. El éxito está ligado al trabajo (preferiblemente el de los demás) y a la productividad.
Pero para tener un progreso real y tangible en los algoritmos de esta sociedad es fundamental agregar un sentido más amplio al "éxito".
De esta forma, el "trabajo" no solo se referiría a la productividad. El capitalismo ha tenido el efecto secundario de llenarnos de cosas y liberarnos unos de otros, separarnos unos de otros. Todos somos competidores.
La lógica egoísta ha penetrado en toda la sociedad, desde la política, el trabajo diario, hasta la familia. Por esto morimos solos. Por eso la sociedad vive en el apogeo de la depresión. Más de trescientos millones de personas en todo el mundo se ven afectadas por la depresión, que se propaga como una pandemia, aumentando en un 18% entre 2005 y 2015. La Oms, Organización Mundial de la Salud, ha declarado que la depresión será la enfermedad más común en el mundo después de las enfermedades cardiovasculares y será la enfermedad mental número uno por difusión. Según la investigación, la depresión es más común en países económicamente subdesarrollados.
En un sistema donde el éxito es productividad, la depresión tiene valor solo en términos en los que se convierte en un coste para la sociedad, pero no se considera un mal síntoma de algo incorrecto en el esquema colectivo. En la página de la Agencia Italiana de Medicamentos leemos que "Se ha estimado un balance de los costes necesarios para el

[78] El antropólogo David Graeber, profesor del Goldsmiths College de la Universidad de Londres, de Yale y doctor de la Universidad de Chicago, es el autor del libro "Deuda", que junto con "Trabajos de mierda", representa una visión crítica imprescindible para quienes quieren ver hacia dónde vamos desde una perspectiva muy sensata. David era el líder del movimiento Occupy Wall Street.

mantenimiento y cuidado de una persona deprimida, enfocándose principalmente en el hecho de que una persona deprimida pierde productividad y apenas mantiene el trabajo o encuentra un nuevo trabajo. Según estos cálculos, en Inglaterra, los efectos de la depresión costarían alrededor de 12 mil millones de libras al año".

El psicólogo Martin Seligman, de la Universidad de Pensilvania, es conocido por sus estudios sobre psicología positiva, más moderna, y por el interesante estudio de la indefensión aprendida que comenzó en 1967 considerándolo como una extensión de la depresión.

Unos perros fueron sometidos a un experimento. Se dividieron en tres grupos y recibieron descargas eléctricas de diferente manera. El primer y segundo grupo podrían evitar descargas eléctricas liberándose del arnés o presionando una palanca colocada en sus jaulas. Un tercer grupo no tenía la posibilidad de interferir de ninguna manera para detener las descargas eléctricas.

El tercer grupo se acostumbró a no esperar otro destino que recibir perpetuamente las descargas eléctricas.

Cuando metieron al grupo tres en una jaula donde sí funcionaba la palanca y donde consecuentemente tenían la posibilidad de detener las molestas descargas, los perros siguieron con su actitud pasiva y aceptaron su destino sin intentar apretar la palanca. Estaban convencidos de ser víctimas y ya no pensaban en ello.

Parece que los seres humanos se han dejado sorprender por su propia invención capitalista y han caído en la indefensión aprendida de que habla Seligman[79].

En los estudios modernos de Seligman, la psicología positiva invitaba a ir más allá del análisis de manifestaciones "negativas", patológicas, como la depresión, para también categorizar y analizar la psicología de personas muy felices. Estudiándolas se deduce que las personas con el mayor nivel de felicidad, siguiendo los parámetros establecidos, no eran más ricas, ni más afortunadas, ni religiosas, ni más hermosas. Solo tenían una cosa en común. Eran más sociables.

Para un silogismo socrático, si la sociabilidad es el parámetro común de las personas felices, es obvio que la soledad, resultado de la competitividad y los nuevos valores sociales, solo puede ser un presagio de la infelicidad colectiva.

---

[79] La historia de Ted comenzó con una conferencia de Martin Seligman que merece ser vista en ted.com.

Por la productividad morimos solos. Por productividad estamos cada vez más tristes, vivimos en un mundo cada vez más sumergido en el colapso ambiental, con la desigualdad creciendo exponencialmente, con cada vez menos tiempo personal que gestionar o invertir, con cada vez menos derechos en el trabajo, con cada vez más trabajos inútiles que solo nos ocupan el tiempo, cada vez menos conscientes del objetivo individual y colectivo.
Una floreciente e irrefutable realidad. Desalentadora. El aumento de la desigualdad es similar al del siglo XVIII donde la aristocracia representaba el 1% de la población.
La pobreza era una sentencia de muerte, la esperanza de vida era de 17 años. Las aristocracias se casaban con las aristocracias y la herencia sellaba el derecho a un privilegio cada vez mayor.
"Nuestro personalísimo regreso al siglo decimoctavo delata estimaciones similares a las de entonces, con el 1% de la población que posee como el 70% del mundo", asegura Gillian Tett, columnista de mercados y finanzas del Financial Times, "Siempre ha habido una élite capaz de monopolizar el capital económico, social y cultural de la sociedad. Muchos creen que la competencia es importante para el progreso y la innovación porque empuja a las personas a esforzarse más. Pero la desigualdad es una tensión económica, social y política y, combinada con la imposibilidad de acceder a la élite, es probable que termine en una revolución"[80].
Entre 1870 y 1914 Reino Unido y Francia fueron los dos principales imperios coloniales. En aquella época eran los dueños de gran parte del mundo, con grandes riquezas en términos de intereses, rentas, dividendos, que les permitió seguir invirtiendo para tener cada vez más tierras. De esta forma, el resto del mundo trabajaba para ellos. La desigualdad aumentó la competencia entre países y el nacionalismo elevó la tensión. El 1% de la población de París en 1914 poseía activos como el 70%. Y dos tercios de la población morían sin activos. Posterior y consecuentemente vino la Primera Guerra Mundial.
La magia de Wall Street en la mitología estadounidense está contenida en la frase *What's good for Wall Street is good for main street*, lo que es

80 "El capital en el siglo XXI", documental de Justin Pemberton.

bueno para Wall Street es bueno para todos[81]. El problema es que la historia ha demostrado que esto no es cierto.
La exuberancia de la década de 1920, la euforia que resultó ser una burbuja llevó al boom de las acciones en bolsa. Los bancos vendían productos que sabían que eran malos y no había regulación. La venta exuberante de acciones llevó a la consecuente compra de más acciones y el mercado creció. La clase media flaqueaba y los trabajadores accedían al crédito para sustentar sus vidas. Los créditos alimentaron aún más esta burbuja. Y estalló. Hoy el rédito medio de una familia americana ha bajado al nivel de hace 25 años, los salarios ajustados a la inflación están a niveles de los años 60.
Desequilibrio.
La perversión de la mente humana, probada por estudios de laboratorio, manifiesta una extraña tendencia. Traducimos las percepciones y sensaciones que nos hacen sentir más ricos como si certificara que somos mejores que los demás. Una vez que hemos alcanzado la cumbre y hemos comenzado a tener éxito en el Olimpo de la riqueza monetaria, creemos que lo merecemos por juicio divino y olvidamos la base, los porqués, de nuestro éxito.
Así los grandes logros tecnológicos se financiaron gracias a los contribuyentes de los Estados donde se desarrollaron estas herramientas.
Colectivamente sucede lo mismo. Todos los contribuyentes pagan por la investigación, pero los beneficios no se comparten con la amplia base que financió el desarrollo de estas nuevas tecnologías.
En nuestra vida diaria esta vida hostil entra por los poros todos los días. Es difícil poder alquilar una vivienda. Los que tienen una casa pueden ganar más que los que trabajan, por eso ha aumentado la especulación con la vivienda. En Madrid, para alquilar un piso a menudo hay que pagar seis meses, a veces un año, por adelantado. Tienes que demostrar en qué trabajas y cuánto ganas. Tienes que desnudarte frente a personas que ni siquiera conoces. Con la hoja de parra, bajo la lupa de los dueños.
El choque generacional es evidente entre quien ha tenido después de la guerra acceso a inmuebles baratos. Dos profesores de los años '70 y '80 tenían la casa, uno o dos coches, vacaciones de verano y vacaciones de

---

[81] "Main Street vs Wall Street" se utiliza para describir el contraste entre los consumidores en general, los inversores o las pequeñas empresas locales con las grandes corporaciones de inversión.

esquí. Además de los dos niños. Hoy, para las generaciones que han surgido de esa experiencia, el escenario es demoledor. La precariedad se ha convertido en un tótem. La ausencia de derechos de trabajo es cada vez más profunda. La clase media desciende cada vez más a medida que sus miembros corren más rápido, trabajan más duro. Pero el juego de clases sociales se ha convertido en un asunto blindado. No se cambia fácilmente de clase social.
Vayamos a "El Mundo Feliz" de Huxley o "Elyseum" de Neill Blomkamp donde un pequeño grupo de seres humanos vive en un lugar idílico en el espacio y el resto de la humanidad en lugares podridos y calurosos.
A los perros del tercer grupo del experimento de Seligman intentaron hacerles cambiar de opinión en su postura de indefensión aprendida y trataron de empujarlos moviendo a la fuerza sus patas hacia la palanca de corte de la descarga eléctrica.
Tuvieron que repetir este movimiento forzado varias veces para que los perros aprendieran la posibilidad de apagar los choques. La indefensión aprendida es difícil de corregir y será difícil cambiar el rumbo de nuestro destino si la verdad de los perros de Seligman es aplicable a la humanidad.
El despeinado primer ministro británico Alexander Boris de Pfeffel Johnson dio su versión del "panorama" en la 74ª sesión de la Asamblea General de Naciones Unidas.
"Debería estar aquí para hablar de la paz mundial y en Oriente Medio, por supuesto que son temas cruciales, pero no podemos ignorar la fuerza creciente que está remodelando la vida de todos nosotros. No ha habido nada igual en la historia" empezó el primer ministro con un discurso inconvencional y memorable, y continuó "Pueden ocultar sus secretos a sus amigos, sus padres, sus hijos, su médico, incluso su entrenador personal, pero supone un verdadero esfuerzo ocultar sus pensamientos a Google" dijo Johnson que continuó "Y, si esto sucede hoy, en el futuro puede que no haya dónde esconderse. Las ciudades inteligentes estarán repletas de sensores, todos conectados por el Internet de las cosas, balizas que se comunicarán de manera invisible con farolas, de modo que siempre habrá espacio para aparcar el coche eléctrico, ningún cubo de basura quede sin vaciar, ninguna calle esté sin barrer y el ambiente urbano sea tan antiséptico como una farmacia de Zúrich, pero esta tecnología se podría utilizar también para vigilar a todos los ciudadanos las 24 horas del día. La próxima Alexa[82] fingirá que

[82] Asistenta virtual de Amazon.

recibe órdenes, pero le estará observando, chasqueando su lengua y pisando su pie.
En el futuro, la conectividad funcionará en todas las habitaciones. Y en casi todos los objetos. Su colchón vigilará sus pesadillas. Su nevera solicitará más queso. Su puerta se abrirá en cuanto llegue, como un mayordomo silencioso. Su medidor inteligente negociará la tarifa de electricidad más barata. Y cada uno de ellos transcribirá minuciosamente cada uno de sus hábitos en diminuta jerga electrónica. Que no se almacenará en sus chips, en sus entrañas, sino en una gran nube de datos que se extiende de manera más opresiva sobre la raza humana, una gigantesca y oscura nube con truenos que esperan estallar. No controlamos cómo o cuándo se producirá esa precipitación y, cada día que usamos nuestros teléfonos o iPads, (como veo que algunos de ustedes están haciendo ahora), no solo dejamos nuestro rastro indeleble en el éter, sino que nos convertimos en un recurso: click a click, toque a toque, no sabemos quién decide cómo utilizar esos datos.
¿Se pueden confiar nuestras vidas y esperanzas a estos algoritmos? ¿Las máquinas, solo las máquinas, deberían decidir si resultamos aptos para tramitar una hipoteca o un seguro o qué cirugía y medicamentos debemos recibir?
¿Estamos condenados a un futuro frío y cruel en el que una computadora dice sí o no con la sombría finalidad de un emperador en el ruedo?
¿Cómo realizamos alegaciones ante un algoritmo? ¿Cómo logramos que contemple circunstancias atenuantes?
¿Cómo sabemos que las máquinas no están maliciosamente programadas para confundirnos o, incluso, para engañarnos?
Ya usamos servicios de mensajería de todo tipo que ofrecen comunicación instantánea a un coste mínimo. Estos programas y plataformas también se podrían diseñar para censurar en tiempo real cualquier conversación y borrar de manera automática las palabras ofensivas: de hecho ya sucede en algunos países. El autoritarismo digital no es parte de una fantasía distópica, sino una realidad emergente. Hay países que ya aplican este autoritarismo. Hago este discurso porque el Reino Unido es líder en tecnología y estamos muy sorprendidos por las consecuencias no deseadas de internet. Un avance científico de mucho alcance que tiene un impacto psicológico mucho más grande que cualquier otro invento, desde Gutenberg, Internet es más grande que la imprenta, más grande que la era atómica, y es capaz

de hacer tanto bien y tanto mal como la energía atómica. Las nuevas tecnologías de inteligencia artificial parecen correr contra nosotros desde el horizonte y no podemos desde la distancia distinguir si son buenos o malos amigos.
¿Van a ayudar a limpiar y cuidar a un anciano? ¿O serán Terminator con ojos rojos enviados desde el futuro para el exterminio del ser humano?
¿Qué representará para nosotros la biología sintética?
¿Logrará reconstruir nuestro hígado o nuestros ojos, traerá una cura fantástica contra la resaca o traerá pollos terroríficos sin extremidades para nuestras mesas?
¿Nos ayudarán las nanotecnologías a vencer enfermedades o vivirá en nuestras grietas como un tropo tan antiguo como cada progreso científico es castigado por los dioses?
Como Prometeo trajo el fuego a la humanidad en un tubo de hinojo Zeus lo castigó encadenándolo mientras le sacaban el hígado y fue troceado y comido por una águila malvada. Cada vez que crecía el hígado nuevamente el águila volvía. Y así hasta siempre. Un poco como la experiencia de los miserables en Reino Unido de los parlamentarios que atacaban a los científicos que habían propuesto algún avance. Hay un instinto humano a desconfiar de cualquier tipo de progreso técnico. No se creía posible que el cuerpo humano resistiera a las velocidades del cohete Stephenson o los antivax que se niegan a aceptar que las vacunas han erradicado grandes enfermedades como la viruela.
Rechazo el pesimismo anticientífico. Soy profundamente optimista sobre la capacidad de la tecnología como leva liberadora y sobre su capacidad de construir un mundo mejor". Johnson siguió en su discurso subrayando cómo la nanotecnología y tecnologías ayudan a solucionar grandes problemas de la humanidad, cómo la tecnología permite a centenares de millones de personas sin una cuenta bancaria entrar en el mundo financiero y cómo las energías renovables nos permiten vivir en un ambiente más *green*. "Pero el punto crucial es cómo dibujamos los valores que acompañan estas tecnologías" concluye Johnson. "Esto es lo que tenemos que debatir aquí. Nos jugamos una decisión importante entre un mundo orweliano diseñado para la censura, el control y la represión o un mundo de emancipación, debate y aprendizaje donde la tecnología amenaza el hambre y las enfermedades pero no nuestras libertades. Hace 70 años esta asamblea aprobó la Declaración Universal de Derechos Humanos, sin voces disidentes, quizá fue la primera vez en la historia. Esta declaración promueve la libertad de expresión, de

opinión, la privacidad del hogar, el derecho a buscar y difundir información.
Tenemos que asegurar que esta tecnología refleje este espíritu.
Las nuevas tecnologías tienen que promover la libertad, la apertura y el pluralismo con la garantías adecuadas para proteger a nuestros pueblos.
Cada día se toman decisiones en comités académicos, juntas de empresas, grupos empresariales, están escribiendo los libros de reglas del futuro haciendo juicios éticos, eligiendo qué será posible y qué no.
Tenemos que luchar para que todo esto sea en el marco de lo que nosotros votamos hace 70 años.
Tenemos que encontrar el balance exacto entre libertad y control, entre innovación y regulación, entre empresa privada y supervisión del gobierno. El éxito dependerá de libertad, apertura y pluralismo" concluyó el jefe de gobierno británico.
Nada mal como análisis para ser un presidente de gobierno. Las caras de muchos representantes mundiales en frente a estas palabras eran muy elocuentes. Algunos se mostraban interesados. Otros jugueteaban con sus móviles. Otros demostraban una irónica incredulidad. Los peores del mundo, los seres perniciosos son estos últimos. Son ellos que creen que "las cosas serias" son solo las ligadas a la economía y al próximo paso práctico que hay que dar para dar respuesta a sus electores o a sus compañeros de gobiernos.
En los comentarios de la prensa, la mayoría reportaba con interés este discurso, mientras otros ironizaban. Porque lo importante es la noticia práctica, ligada a la economía o a la producción.
Como decía Johnson en su discurso el equilibrio entre control y descontrol es el punto complicado y fundamental que hay que encontrar. Estudiar la inmoralidad sin saber qué hacer si la encontramos puede crear problemas tremendos para las futuras generaciones. Para el desarrollo del ser humano.
Dejar que el algoritmo de Google decida si algo tiene que tener éxito y lo que no, es un error. Es suficiente que el *board* de Google se reúna y decida que su algoritmo discriminará sistemáticamente algo, un país por ejemplo, y para la víctima los daños colaterales serán enormes porque Google con su algoritmo ya se ha metido en nuestro substrato económico y político de forma definitiva. Twitter ha decidido bloquear las presuntas mentiras del ex presidente de Estados Unidos. Todo el mundo se ha alegrado de la decisión. Pero si esta empresa privada decidiera censurar algo éticamente positivo, o algo que arbitrariamente

estuviera en contra de los intereses del mismo Twitter, ¿la sociedad tendría un beneficio de todo esto?
¿O podría ser un control parecido o superior a lo que vivimos hasta ahora con los gobiernos que de alguna manera u otra son el reflejo de una elección popular?
Estos temas son importantes y nunca están en la mesa del debate colectivo.
¿Por qué?
Porque si frenamos, se entorpece esta corrida eterna e implacable hacia el ignoto. No hay reflexión porque lo único que cuenta es dar un paso más, da igual si equivocado, es la civilización del "better done than perfect". Hacer, hacer, hacer, como "pollos sin cabeza", por utilizar una macabra expresión española. Ir adelante está muy bien y tiene sus beneficios. Pero también la pausa y la reflexión sabemos muy bien que tienen sus consecuencias positivas.
Hay mucha incertidumbre a causa de esta arriesgada manera de evolucionar. La incertidumbre en el comercio mundial, por ejemplo, está en máximos históricos, según los cálculos de los economistas Hites Ahir y Davide Furceri, del Fondo Monetario Internacional, y Nick Bloom, de la Universidad de Stanford[83]. Según The Economist Intelligence Unit el indicador de incertidumbre se ha disparado en las economías avanzadas. Como vimos las nuevas generaciones han entendido que su futuro no se prospecta al nivel de sus progenitores y este pesimismo está encontrando una respuesta en el mundo paralelo que se están creando solos, con teclados y lenguajes informáticos. Las fábulas modernas las cuentan en 'Black Mirror' y los demás dramas distópicos que son el fruto de una nueva interpretación de este panorama. "Bird Box", "Altered Carbon" y "3%", "Years and Years" entre otros.

Bitcoin nace en este contexto

El mercado de las cryptomonedas nació en este contexto porque, como hemos visto, propone una nueva forma de organizarnos financiera a nivel global sin contemplar en su algoritmo que elementos externos, gobiernos y perversiones de poder continúen fomentando

[83] Por qué las distopías (y los nacionalismos) triunfan en tiempos de incertidumbre, El Confidencial, 9/2019.

los desequilibrios de un sistema monetario que favorece la polarización y el empobrecimiento de las mayorías.

FAR WEST BITCOIN
Cómo he comprado

POR UN PUÑADO DE BITCOIN

Coge tu botín y huye

"La distinción entre inversión y especulación con acciones ordinarias siempre ha sido útil, y el hecho de que esa distinción esté desapareciendo es un motivo de preocupación".
Benjamin Graham, en el libro *El inversor inteligente*.

En el mundo de las cryptomonedas, los términos inversor o trader se utilizan con absoluta intercambiabilidad. Quizás sea el resultado de la falta de formalidad académica que caracteriza a este nuevo mercado.
En realidad, la distinción entre hold y trading es fundamental. Hold, o *hodl* como la jerga crypto sugiere, significa comprar para mantener las cryptomonedas durante un período de tiempo prolongado. Trading significa especulación y compraventas[84] continuas. La diferencia no es solo filológica, tiene reflejos importantes en la estrategia.
Cuando compras para hold, tu preocupación es mirar hacia el horizonte. Los únicos gráficos que pueden interesarte son los gráficos semanales, mensuales[85] que proyectan la previsión para los próximos meses. No tiene sentido analizar el gráficos de 4 horas o el diario que

[84] Fiscalmente consideradas, por ahora, permutas.

[85] En Tradingview, hay una opción en la parte superior izquierda para elegir el mercado de referencia. Para bitcoin el más utilizado es btc/usdt, bitcoin contra el dólar Tether. Junto a ella, la opción hace referencia a la importante temporalidad del gráfico. Los más utilizados por mí y por los gurú que sigo son el gráfico de 4h, el gráfico diario D y el gráfico semanal S. Personalmente uso mucho también el gráfico de un minuto y el gráfico de una hora.

ofrece elementos para identificar probabilidades ligadas a las próximas horas o para la semana siguiente respectivamente.

Holdear significa apostar por un caballo ganador y esperar un largo maratón para ver si tu olfato ha tenido razón.

Para explicar la importancia de la estrategia de holding, la historia de un amigo puede ser interesante.

En 2012 Javi (la historia es real, el nombre no lo es) vivía en Argentina y trabajaba en temas sociales. Es un chico brillante, aparentemente tímido, pero muy listo y siempre predispuesto al discurso intelectual. Una mente inquieta que ha buscado siempre su esencia más allá de los límites territoriales y familiares.

Argentina a principios del siglo XX era una de las potencias económicas mundiales, pero en las últimas décadas vivió un período caracterizado por una tremenda bofetada económica, una verdadera grieta, acompañada de lo que se llamó "el corralito", la restricción de la libre disposición del dinero real. De un día para otro, los bancos cerraron sus arcas y los clientes vieron disminuir radicalmente la libertad para disponer de sus fondos. El año 2012 marcó el final de la pesadilla porque se estaba cerrando un ciclo de alivio de la deuda para Argentina.

Javi vivía con su pareja en el centro de Buenos Aires. Unos amigos españoles habían ido a visitarlo cuando, debido a un accidente involuntario, un amigo dañó una pared de la casa. Se necesitaron unos cientos de euros para repararlo. El amigo de Javi regresó a España y desde allí pretendía enviar el dinero para la reparación, pero la situación bancaria entre enormes comisiones, tipos de cambio y restricciones, habría frustrado ese mínimo esfuerzo económico de reparación. El amigo propuso a Javi una solución muy creativa y curiosa. Ofreció enviar esa cantidad en bitcoin. Javi, que conocía ya el fenómeno y para mantener la fe en su carácter de explorador, aceptó de buen grado, emocionado de conocer esa "cosa" extraña de la que solo había oído hablar en los periódicos.

Un compañero ingeniero - todo el mundo debería tener un amigo ingeniero - que trabajaba en su oficina fue involucrado en la problemática y se prestó a configurar la wallet de Javi para poder recibir los bitcoin.

Desde ese momento Javi estuvo muy atento en cuidar escrupulosamente sus diez bitcoin, siempre preparado a los cambios tecnológicos, con perenne interés y poco esfuerzo vio cómo esas

extrañas monedas virtuales con el pasar de los meses y luego de los años se volvían cada vez más preciosas.
Cuando salió al mercado la billetera fría, Ledger Nano, la compró de inmediato. Pero su mayor mérito fue la paciencia. La paciencia para holdear es la cualidad fundamental.
En estos meses de inmersión he escuchado a menudo decir que en cualquier caso incluso un holder debe sacar beneficios de vez en cuando, como si fuera una estrategia aconsejada y casi dogmática.
Este punto no es fácil de organizar. Cuando el bitcoin está subiendo como en este período, una pequeña parte de este preciado activo se debería vender para sacar beneficio, incluso si las previsiones más optimistas lo lanzan a un millón de dólares.
No es fácil.
Por otro lado, los pronósticos más pesimistas lo devuelven a cero. Esperar puede ser sinónimo de cambio de vida material en ambos sentidos.
Si has comprado bitcoin en marzo de 2020, ahora estás realmente feliz. Si has podido comprar muchos, estás muy, muy contento. Y si esperas hasta 2025 o 2029 para vender, tal vez tu vida haya cambiado sustancialmente.
La otra cara de la moneda está representada por el hecho que esperar puede llevarte a perderlo absolutamente todo. Tanto porque puedes perderlo físicamente, como también puedes perder las claves de tus bitcoin, puedes sufrir un hackeo doloroso o simplemente puede bajar el precio o entrar en una larga hibernación durante años.
Nadie sabe lo que pasará. Pero las entrañas de los pájaros o el oráculo de Delfos pueden ayudarte a tener ese sentimiento acertado que te lleva a poder cambiar el color de tu vida.
En 2018, bitcoin comenzó a galopar de 3 mil a 20 mil dólares. Ahora es fácil sentirse anestesiado por esta cifra, pero una moneda nacida de la nada, respaldada por 9 páginas de aquel revolucionario *white paper* y por una gran tecnología desconocida, en un mundo lleno de ruido y distracciones, ha representado un despertador para el mundo. Bitcoin a 20 mil dólares golpeó su puño sobre la mesa y se hizo notar en todo el mundo. El 11 de diciembre de 2017, bitcoin le dijo al mundo "Estoy aquí, la idea es válida, a ver dónde nos lleva todo esto".
Un año después, el 3 de diciembre de 2018, bitcoin nuevamente valía tres mil dólares. Un tremendo colapso. El *fud*, el miedo, la angustia, el fin de un sueño, el "sálvese quien pueda" cayó como granizo sobre los pueblos de los cryptoinversores, que, cometiendo el error más común y

burdo, huyeron vendiendo su bien más preciado. Pero Javi no. Su jugada magistral fue una vez más tener paciencia y confianza. Mantuvo su billetera intacta y continuó guardando sus bitcoin incluso en medio de la tormenta.
La carrera de este año le tomó por sorpresa. Quizás no esperaba una nueva subida tan fuerte. Y ahora, en el muy actual 2020 lo ha seguido todo más detenidamente, marcando de cerca el gráfico con la intención clara de no perder el tren. Sin tener en cuenta la noticia y las entrañas de los pájaros - en mi opinión con una decisión algo apresurada - esperó a los primeros meses de 2021 y, llegando el bitcoin a los 40 mil, vendió. Tres meses después estamos danzando alrededor de los 60 mil. Tal vez Javi se arrepienta. Tal vez no. En cualquier caso, hizo una obra magistral y ahora está eligiendo con absoluta comodidad dónde vivir y qué casa comprar. Ese agujero en la pared en Argentina virtualmente ha recreado una casa de dos pisos y un jardín al otro lado del océano.
Una vez más su ingenio lo llevó a dejar una última chance en la billetera. Un último bitcoin entero y muy preciado que posiblemente represente, si los optimistas tienen razón, su jubilación, su vejez y probablemente también la de sus eventuales sucesores.

¿Cómo se compra?

Para empezar a comprar, Rapanui y yo nos hemos informado a fondo. Vídeos, amigos, lectura diaria, libros. El proceso es fácil si te sientes cómodo en el mundo de Internet. Pero, como todo lo demás en el mundo de las cryptomonedas, necesita una extrema atención.
Cuando decidí comprar cryptomonedas por primera vez, elegí un momento de tranquilidad y dediqué unas horas a la primera operación. Un lugar tranquilo, sin distracciones, sin miradas indiscretas y con una conexión segura.
Un detalle importante, desde que comencé a conocer el mundo de las crypto ya no uso wifi por ahí, en hoteles, bares, etc.
Traje dos libretas y un bolígrafo. En el mundo digital, el bolígrafo ya no se usa, al menos no mucho, pero cuando compras cryptomonedas el bolígrafo es importante.

El primer paso fue seguir exactamente los esclarecedores consejos de la youtuber Crypto Casey en un video para novatos[86]. Seguí exactamente lo que indica Casey.
Creé un nuevo correo electrónico en protonmail. Es un gestor suizo considerado uno de los más seguros. En otras ocasiones he creado un correo electrónico seguro en Gmail. Un mail seguro tiene un nombre alfanumérico, tiene una contraseña de muchos dígitos con números y caracteres. En mi caso la contraseña tiene una veintena de caracteres de todo tipo. Escribí religiosamente todos los códigos en las dos libretas de manera especular.
El correo electrónico está asociado a sistemas de seguridad de dos pasos llamados *odg*, que me envían un mensaje de texto para cualquier entrada en el buzón y también lo conecté a Google Authenticator, una aplicación que genera códigos de seguridad cada minuto asociados con una cuenta. Tanto Gmail como cualquier otro operador también indica unos cuantos códigos, muchos códigos, que son de seguridad o se utilizan en caso de pérdida de la contraseña para poder volver a acceder al correo.
Al final pierdes mucho tiempo entre códigos y toda esta parte podría parecer una tremenda paranoia. Pero es realmente esencial. Tienes que entrar en la mentalidad de que ahora eres el banco y debes dedicar tiempo a tu seguridad. Según los expertos, estas precauciones son un paso obligatorio. Así que, seguí el consejo.
No hay por ninguna razón que fotografiar las notas en las libretas ni guardar estos códigos en el ordenador. No tienes que escribirlos en Whatsapp o Skype, en Viber o incluso en Signal. No debes mostrárselos a nadie ni enviarlos por audio o en un correo electrónico.
Deben permanecer escritos solo en las dos libretas para siempre. Una libreta a mano, siempre bien escondida y la otra es recomendable guardarla en un lugar seguro, como *backup*. Un incendio, robo o pérdida accidental podría hacerte perder tus cryptomonedas para siempre. Muchos utilizan la caja fuerte del banco para su segunda libreta.

[86] "How to Buy Cryptocurrency for Beginners (Ultimate Step-by-Step Guide)" youtu.be/xYWMzczqgk4.

Desafortunadamente, en mi experiencia, incluso el banco no es un lugar seguro[87].
La creación del correo y cualquier otra operación relacionada con las crypto la he hecho siempre en una ventana del navegador con la función "en incógnito" activada.
Una vez creado el nuevo mail y anotados todos los códigos y contraseñas en las dos libretas, me dirigí a la plataforma más fácil y cara, excelente para principiantes. Coinbase. Hay tres razones que me impulsaron a comenzar con Coinbase. Es fácil de usar. Es seguro, porque cuando comienzas a adentrarte en la CryptoJungla, no es nada obvio confiar. Todo tiene nombres extraños que nunca antes habías escuchado, algunos incluso son graciosos, parecen una coña, como Sushiswap, que tiene monedas de sushi y token de Syrup.
En el mundo crypto existen todo tipo de plataformas, pero también muchos estafadores, sitios que te roban todo. Así que para comprar la primera vez no tuve dudas, me decanté por algo seguro.
La tercera razón es la que indica un modus operandi en este sotobosque. Antes de tomar decisiones importantes hay que buscar información en los foros, en los comentarios de los *tweet*, en los periódicos. Siempre que surge un problema, el "tamtam" de la CryptoJungla resuena y hay que prestar atención porque es información importante. Así que la Crypto Casey aconsejaba Coinbase, compré en Coinbase.
Para crear una cuenta en esta plataforma, pude poner un perfil inventado. Un nombre de fantasía, dirección de fantasía. En resumen, un perfil anónimo. Pero esto ya no es el caso. A partir del verano de 2020, siguiendo la directiva europea de 843/2018, el llamado *kyc*, conoce a tu cliente, es obligatorio identificarse, es obligatorio en Coinbase, pero también en todos los demás *exchange* y wallet.
Para identificarme me pidieron el pasaporte, una foto con pasaporte en mi mano, mis datos de contacto. Todo esto obviamente a costa del anonimato. Para comprar de forma anónima, siguen estando disponibles las plataformas Dex, las plataformas descentralizadas de

[87] "Palermo, ese botín de cien mil millones", La Repubblica 1990. Los casos son múltiples y de todas las épocas. Solo por dar algunos ejemplos "Milán, golpe de multimillonario en la bóveda de Cariplo", 2001. "Empleados y clientes encerrados en una habitación, luego el asalto a la bóveda" Palermo hoy 2019. "Ladrones en la bóveda del banco" LeccePrima 2018. "Golpe de película a dos cajas de seguridad de la caja de ahorros" Diario de Soria 2018, "Desvalijadas 200 cajas de seguridad en un Banco de Marbella" El País 1982, "Desvalijan las cajas de seguridad tras hacer un butrón en una oficina de Caja Rural Central" Información 2011 ...

intercambio de cryptomonedas como Uniswap, Sushiswap y Pancake, que funcionan directamente en blockchains y te permiten intercambiar monedas con otros usuarios. Para un novato, es mejor comenzar con Coinbase, lo cual es una contradicción por ahora porque la cadena de bloques se creó para tener una difusión descentralizada, mientras que para poder comprar monedas debes recurrir a plataformas centralizadas como Binance o Coinbase. Los Dex, en cambio, son la pura expresión de la libertad del mercado, donde cada uno ofrece sus propias monedas y encuentra compradores dispuestos a adquirirlas.
Otra forma de comprar cryptomonedas es recurrir a los cajeros automáticos de bitcoin que utilizan la red Atm. Son fáciles de usar pero tienen el inconveniente de tener comisiones muy altas, que pueden llegar al 10%. La red se está expandiendo rápidamente, a pesar de la resistencia de las administraciones.
Después de crear la cuenta, es el momento de enviar los fondos para poder comprar cryptomonedas. Los fondos se pueden enviar en monedas *fiat* que son euros o dólares (Coinbase también acepta otras monedas) ya sea por tarjeta de crédito o por transferencia bancaria. La transferencia bancaria es la mejor opción porque tiene tarifas mucho más bajas.
Para conectar mi cuenta tuve que hacer una transferencia de unos céntimos, como prueba y esta operación, dados los sistemas bancarios actuales, lleva unos días. A esto se suman unos días eternos para enviar los fondos reales que quería invertir, una vez que se haya verificado la conexión entre la cuenta bancaria y la cuenta en Coinbase. La cuenta de la plataforma está a nombre de Coinbase Ireland Ltd y el banco de referencia es estonio, As Lhv Pank[88].
Las primeras compras las hice con tarjeta de crédito, con unos costes de gestión muy elevados. Era un buen momento para comprar, no quería esperar muchos días para conectar las cuentas y esperar la transferencia. Además, comencé a encontrarme con un problema desafortunado y, a veces, irritante.

[88] En Coinbase he pinchado en "cartera", he elegido euro y en la página se abre en la parte derecha una doble opción. La correcta es "depósito". Allí aparecen todos los datos para efectuar la trasferencia.

LA GUERRA DE LOS BANCOS

¿Eres realmente libre de utilizar tu dinero?

Cuando quieres comprar bitcoin o cryptomonedas tienes que realizar una transferencia o utilizar tarjetas de crédito o de débito. Esto significa que tienes que pasar por el ambiguo filtro bancario.

Como hemos indicado anteriormente, la relación con los bancos se ha vuelto cada vez más desequilibrada. Aparte de las comisiones y cierta lentitud para cualquier tipo de operación, la dinámica real es que no puedes disponer libremente de tu dinero. Y esto me parece un error legislativo que debería corregirse con la menor brevedad.

Desde el primer momento, cuando he intentado efectuar una transferencia bancaria o comprar con tarjetas de crédito o débito, el banco me ha puesto demasiados e inopinados palos en las ruedas.

Esta historia tiene algunos matices poco claros y decepcionantes. Por eso merece ser contada en detalle.

Después de leer sobre estas prácticas bancarias y haber conocido casos directos, yo mismo hice algunas pruebas para comprar en Coinbase, Binance, Crypto.com enviando fondos en euros. He intentado comprar con cuatro bancos diferentes.

Lo que pasó es increíble. Envié transferencias bancarias desde Sabadell, Bbva, Intesa SanPaolo y Santander. La dinámica parece en algunos casos repetirse.

Santander es la única que en mi caso nunca creó problemas. Esto no quiere decir que nadie pueda tener problemas con este banco, pero en mi caso todas las transacciones han ido a buen fin sin problemas.

Con los otros bancos efectuaba la transferencia, todo parecía haber ido bien, pero al rato recibía un mensaje que la operación se había cancelado sin más, sin una explicación.
Llamo al servicio al cliente. Sabadell tiene el *customer service* que me resulta de lo más ineficaz, repiten en bucle informaciones poco concluyentes para luego derivarte a tu oficina. O sea, a pesar de tener ordenadores y un teléfono inteligente, una conexión de fibra según el banco para poder enviar dinero tengo que salir de casa, desplazarme en horarios definidos y limitados de apertura, hacer la cola para luego rogar a un señor encorbatado que me deje utilizar mi dinero, no su dinero, donde mejor me plazca. Me parece tremendo.
¿No se parece esto abiertamente a la parte más oscura del comunismo?
El banco Sabadell tiene un *customer service* muy reactivo en Twitter. Escribo un *tweet* que recibe inmediata respuesta:
"Pues la operativa de seguridad ha cambiado, y por el momento deberá hacerla en la oficina".
No puedo eximirme de subrayar algo que no tiene que ver con crypto, pero sí con la ambigua relación que tenemos para la gestión de nuestro dinero. Sabadell en marzo bloqueó mi tarjeta por los pagos en Amazon. La respuesta, repetida de varios operadores, textual, grabada, fue "Amazon no es un *marketplace* seguro"[89]. Tengo que confesar que la respuesta "Amazon no es un *marketplace* seguro" me da profunda risa. No solo estoy cohibido en la utilización de mi dinero, sino que también tengo que doblegarme a decisiones poco sensatas como esta.
El abuso me parece patente. Entiendo simplemente que el dinero en realidad no es mío y tengo que pedir permiso para comprar hasta un cepillo de dientes.
¿Esto no es comunismo?
Si mi dinero no es mío ni para comprar bitcoin, ni para un cepillo de dientes, empiezo a tener mis dudas.
Es inaceptable esta postura. Es inaceptable no poder disponer libremente de tus finanzas.
Esto debería ser un punto dogmático del capitalismo, pero la evidencia es otra. Se necesita un fuerte debate social e institucional sobre estos temas. La misma dinámica pasó en el Bel Paese. Los operadores del banco Intesa Sanpaolo con la proverbial distancia formal italiana me dicen que no les resulta, que no puede ser, para concluir que tengo que

---

[89] Explicaron que Amazon no ha adoptado un sistema de seguridad de doble paso obligatorio, según los operadores de Sabadell. A raíz de esto el banco tiene el derecho de bloquear tu tarjeta.

volver a efectuar la transferencia. En unos días todo irá perfectamente. Espero unos días, perdiendo oportunidades de inversión y vuelvo a probar. Como presentía, nada de nada. Nuevo bloqueo de la cuenta y transferencia anulada.
Esperar unos días si estás haciendo trading es un problema concreto y muy relevante, repito.
Armado de paciencia esperé más días y volví al punto de partida. Pago rechazado. Cuenta bloqueada por enviar dinero a Coinbase que es un coloso cotizado en el Nasdaq.
Según ellos no puedo, no tengo la libertad de comprar cryptomonedas como quiera.
Con Bbva pasó lo mismo pero la posición de este banco me parece paradójica. Por un lado es un banco moderno, grande, por otro ha financiado Coinbase, ganando una plusvalía de 250 millones de euros con su salida en el Nasdaq. Pero sus clientes no pueden comprar allí libremente.
El banco puede sacar beneficios de bitcoin pero yo no. Aquí el tema se hace peliagudo.
Cuando he intentado comprar con tarjetas o con transferencia algunas operaciones van a buen fin. Otras finalizan con éxito y al rato me avisan que mi cuenta se ha bloqueado, pin bloqueado, cuenta bloqueada. En otras ocasiones más graves después de una operación aceptada, pasan los días y la misma operación desaparece del historial de mi cuenta. El dinero vuelve silenciosamente a ella sin dejar rastro.
Esto es ya ciencia ficción realizar una transferencia, tener la confirmación, esperar los días que se necesitan de costumbre y ver devuelta la cifra de los fondos que había enviado con consecuente desaparición de la operación en mi historial, como si nada hubiese pasado. No pensaba fuera posible algo así.
He llamado muchas veces a los operadores del banco online para desbloquear mi cuenta, mis tarjetas y para pedir explicaciones sobre esto que siento como un abuso. Las respuestas textuales lo dicen todo. "Buenas tardes Emanuele, en qué le podemos ayudar", empieza siempre así.
Expongo repetidamente mi caso y la respuesta es textualmente "Bbva no permite el envío de dinero a plataformas de cryptomonedas". Rotundo. Las conversaciones están grabadas. "Entiendo el malestar pero así es y dejamos constancia de su queja".
¿La misma entidad bancaria que está creando un *marketplace* de cryptomonedas en Suiza y está invirtiendo en el mismo Coinbase, no

deja a sus clientes enviar dinero a una cuenta de un *exchange* de cryptomonedas? "Correcto. El argumentario nos indica que las cuentas de Bbva no permiten operar con plataformas de cryptomonedas".
Pero algunas veces he podido operar. Unas veces sí, otras no.
"Están poniendo restricciones. Si envía o recibe dinero de una plataforma de cryptomonedas tiene una alta probabilidad de que se devuelva la operación. Hágame caso la razón es esta".
No tengo ninguna manera de operar? "No."
Pero Bbva financia Coinbase y yo no puedo comprar allí cryptomoneda ¿no le parece raro?
"Hágame caso a lo que le estoy diciendo las páginas de Bbva no permiten las operaciones con plataforma de cryptomonedas. Otra cosa son las noticias de la prensa sobre las participaciones de Bbva".
¿Esto está en mi contrato con el banco?
"No tiene por qué. El banco puede decidir restringir determinadas operativas. El argumentario de Bbva indica estas restricciones. Lo que sé yo y no está en el argumentario, es cosecha mía, es que la legislación fiscal está cambiando y hasta que no haya algo definido el banco va a actuar así".
Quiero ir a fondo y me pongo en contacto con los directores de Bbva. Encuentro una colaboración muy amable por parte de Paul Tobin Global Head of Communications y Luz Fernández Espinosa Innovation Data Engineering y Business & Corporate Comms.
Con Luz Fernández tengo una larga conversación y empiezo una relación epistolar durante varias semanas.
Después de una espera importante y una presunta investigación interna no recibo la respuesta que me esperaba. O a lo mejor es exactamente lo que me esperaba.
La pregunta es sencilla. ¿Los clientes pueden o no utilizar su propio dinero como mejor les plazca, en este caso para enviar dinero a cuentas bancarias "normales" que como titular tienen empresas que se ocupan de facilitar la compraventa de cryptomonedas?
La respuesta oficial del Bbva llegó clara y rotunda. "No hay ninguna instrucción para bloquear transferencias en dinero *fiat* desde cuentas del Bbva hacia operadores activos en el mundo de digital assets (ejemplo Coinbase, Binance etc). No hay ninguna instrucción en tal sentido a los operadores de banca a distancia o banca telefónica para prohibir transferencias hacia operadores del mercado de asset digitales"[90].

[90] Si te ha pasado algo así por favor cuéntamelo. Escríbeme a crypto@kantfish.com.

Esta respuesta aumenta mi confusión, pero me conforta. Puede que todo esto sea solo caos interno, con perjuicio para el cliente, pero sin una razón ideológica detrás. No soy el único que se dio cuenta, a juzgar por el título que apareció en estos mismo días en el periódico económico español El Economista, de marzo 2021 "Bbva se lía con el bitcoin: desaconseja su inversión tras empezar a venderlo".
¿De quién depende o dónde reside el problema que están experimentando vuestros clientes que no pueden utilizar sus fondos para comprar libremente en los exchange?
"Desde el departamento de cumplimiento no tenemos conocimiento de este tipo de problema". Siempre Bbva.
Si un cliente se encuentra con la imposibilidad de enviar dinero a plataformas de cryptomonedas, ¿Cómo debería comportarse? ¿Quién responde de los retrasos, bloqueos o cancelaciones de las operaciones?
"El cliente puede seguir los canales tradicionales de petición de información y/o reclamaciones que el banco tiene ya implementados".
Lo que entiendo es que hay una fractura entre la dirección y lo que viven efectivamente los clientes. En este sentido las pruebas que hice yo mismo evidencian que se bloquearon las cuentas y las tarjetas para compras no solo en Coinbase, también en Crypto.com y Binance.
Algún operador de otro banco me dijo que el motivo residía en las restricciones indicadas por el Banco de España, que una vez interpelado me contesta que "Las *exchange* de cryptomonedas son competencia de la Comisión Nacional del Mercado de Valores (Cnmv), al menos en lo relativo a la transparencia. Se trata de una actividad no regulada y por tanto queda fuera del radio de actuación del Banco de España".
Desde el Cnmv la respuesta elocuente fue esa: "Hemos recibido su consulta y le responderemos tan pronto como sea posible". Nunca llegó una respuesta.
He contactado con Carlo Messina, el Ceo de Banca Intesa San Paolo y he recibido una explicación de Matteo Fabiani, Intesa Sanpaolo Executive Director Media and Associations Relations, "En nuestro banco no existen políticas que prohíban o restrinjan el desarrollo de inversiones en cryptomonedas por parte de nuestros clientes. Por otro lado, existen algunas limitaciones operativas en los sitios de cryptomonedas hacia algunos Iban identificados que se han utilizado previamente para campañas fraudulentas masivas o se han utilizado ante eventos correspondientes a intentos de fraude contra nuestros clientes.

En aras de la integridad de la información, un caso que, sin embargo, no se encuentra dentro de las especificaciones destacadas por usted, la única política emitida por Intesa Sanpaolo se refiere a la decisión de la Autoridad FCA inglesa (efectiva a partir del 6 de enero de 2021) de bloquear las compras por parte de clientes minoristas, de pedidos en Etf/Etn (Etp) en cryptomonedas.
Intesa Sanpaolo, Fideuram e Intesa Sanpaolo Private Banking se han adaptado a esta decisión".
De su respuesta deduzco que en teoría no se deberían encontrar problemas por parte de los clientes del banco si deciden enviar transferencias a los *exchange* de cryptomonedas. Pero sí que he tenido problemas y una vez más no encuentro respuesta. Coinbase o Binance no son, por lo menos hasta que no se demuestre lo contrario, unas plataformas fraudulentas. Coinbase está cotizado en el Nasdaq con todos los controles del caso.
Tener duda sobre todo esto lleva a una doble posible respuesta. Si el banco tiene derecho a decidir sobre el dinero de los clientes, nos acercamos a una práctica digna de los aspectos oscuros del régimen comunista, terrible y opresiva. Una ideología oficialmente odiada, planteada como Apocalipsis, pero luego aplicada de forma muy sutil y nos entra en casa de manera capilar disfrazada de otra cosa.
Si ese fuera el caso, el concepto básico y la bandera del liberalismo estarían muertos. Estoy seguro de que el debate público debería tener en cuenta la importancia de estas decisiones para no fragmentar el cada vez más estrecho margen de libertad que se prevé para el futuro de la sociedad.
La otra posibilidad es que ni siquiera sepan mínimamente lo que están haciendo. La confusión reina suprema y por un lado se ataca el pastel "con ambas manos", pero por el otro se ponen barreras de contención a un cambio.
La sospecha es que pueda ser eventualmente una manera de frenar el tsunami con un dedo. ¿Los clientes se llevan sus pertenencias? Vamos a bloquearlos. Al menos como subterfugio, no oficialmente. ¿Las cryptomonedas no tienen regulación? Bueno, entonces nosotros somos la ley, parecen responder los bancos.
Puede darse el caso de que la dirección de los bancos no tenga conocimiento de los bloqueos. En este caso sería una gestión decepcionante sin implicaciones políticas.

La posición del banco oficial importa. Porque por ahora el perdedor es el pequeño inversor que no puede acceder a un mercado con mejores ofertas.
¿De quién es la responsabilidad de estas praxis? Nadie sabe de quién es. Los problemas son reales para el cliente, pero se niegan.
Bbva en Suiza puede operar con cryptomonedas. Es muy interesante la respuesta sobre la dualidad entre banco inversor de cryptomoneda y el banco que ofrece sus servicios a los españoles. Desde Bbva aclararon que "Suiza es uno de los ecosistemas más avanzados en tokenización de activos gracias al apoyo de las autoridades. Desde el principio, Zug (una pequeña ciudad a 30km de Zurich) atrajo iniciativas empresariales relevantes en el terreno de los cryptoactivos. Hoy en día se conoce mundialmente como el Crypto Valley y es uno de los centros de innovación más importantes en el mundo de los cryptoactivos, en el que se emplazan la sede de Ethereum, Tezos o Cardano junto con numerosas empresas del ecosistema. Tanto el regulador (Finma) como el gobierno suizo ven este espacio como una oportunidad para que el país se posicione como un centro financiero innovador en los mercados de capitales y apoyan la entrada de las empresas y los bancos en este espacio. Estamos analizando los mercados en los que tenemos presencia para ver si se cumplen las condiciones adecuadas (regulación, madurez, conocimiento, demanda, etc) para lanzar el servicio a particulares e instituciones. El objetivo de Bbva es dar acceso a nuestros clientes a nuevos mercados de activos digitales".
Me parece que la contradicción es bastante interesante. Los clientes sufren unas "imprevistas" restricciones de sus derechos, los operadores dicen tener órdenes superiores para bloquear el envío de fondos a los *exchange* de cryptomonedas, pero en el escenario bajo los reflectores la posición es totalmente favorable a las cryptomonedas y entusiasta.
¿Quién está pagando la confusión del centralismo financiero? Los clientes que no tienen por ahora otra opción que pasar por los bancos para las transacciones y los pagos.
El youtuber Jose Mazzucco de Bitcoin sin Fronteras ha denunciado una historia análoga en un vídeo de Instagram. El banco español Bankia, ya de Caixa, de un día para otro le escribió instándole a sacar todos sus fondos porque iban a cerrar sus cuentas, la personal y la de la empresa, sin motivo oficial.
"El motivo no oficial es que me cerraron las cuentas por operar con plataformas de cryptomonedas" comenta Mazzucco, que pidió ayuda a sus seguidores para encontrar un banco que le permitiera disponer

libremente de su dinero. Al final Mazzucco eligió Bbva, sin saber que este intento de bloquear los capitales de los clientes es una costumbre por ahora muy extendida entre las entidades bancarias. El youtuber aconseja dirigirse a los "bancos no bancos" aunque para la declaración de impuestos no son buenos, según lo que le comenta su gestor.
Me pregunto, en este escenario ¿Quién protege a los ciudadanos? ¿En qué consiste el capitalismo? ¿Cuál es el plan colectivo?

TRADE II
Entre Gurú y Ballenas

CUIDADO CON EL GURÚ

En la CryptoJungla necesitas brújula

Desde esa noche del 23 de febrero, mi día se ha vuelto patas arriba. Estoy "entre los que están suspendidos"[91] y la boa constrictor[92] del trading me ha enganchado. Hasta altas horas de la noche consulto Twitter, leo Cointelegraph, veo las últimas novedades de la app de Cryptopanic y sobre todo espero con impaciencia los nuevos videos en vivo o pregrabados de los gurú en Youtube. El gráfico de Tradingview está permanentemente activado y bombea en todas mis pantallas, incluidos ordenadores y el teléfono muy inteligente. Mi estudio se ha convertido en una sala de exposición de gráficos en constante mutación. Estoy en la cama, veo el gráfico. Voy en coche y en el semáforo veo el gráfico. Cocino y me siento a la mesa y de vez en cuando veo cómo va el gráfico. Ahora mismo mientras escribo, veo el gráfico. El gráfico es un ser vivo que te acompaña las 24 horas, una obsesión. Un "a ver cómo va".

¿Qué emociones me proporciona? Estaré feliz o abrumado. Un mecanismo muy similar al descrito en los experimentos que llevaron a nuestra adicción a las redes sociales bien descrito en el libro "El enemigo

[91] "Yo estaba entre los que están suspendidos", esta es la frase con la que Virgilio en el segundo canto del Infierno de la Divina Comedia se dirige al Poeta Supremo para instarlo a continuar por el camino que ha emprendido. Inferno, Canto II

[92] La boa constrictor es una serpiente perteneciente a la familia Boidi, muy temida ya que es capaz de matar incluso a presas grandes envolviéndolas y asfixiándolas en sus espirales. El origen del nombre se debe a la palabra latina bova (serpiente de agua). Wikipedia

conoce el sistema" de la periodista Marta Peirano. Un chorrito continuo de endorfinas o adrenalina emulsionada con oxitocina[93].
Para entender realmente lo que sucede en los gráficos, inicialmente necesitas la ayuda de alguien que haya estado analizando durante años cómo se forman las velas verdes y rojas. El movimiento de precios aparentemente no tiene una lógica, pero en realidad ciertas tendencias recurrentes aumentan las probabilidades, no las certezas, de lo que sucederá mañana, en un mes o incluso en un año. Es un acto de fe, pero con cierta orientación.
Para analizar los gráficos lo mejor que he encontrado ha sido seguir a los gurú de youtube. Son gratis, son absurdos y siempre parecen saber lo que están diciendo. Pero.
Sí, pero. Porque hay que tener mucho cuidado con lo que dicen antes de creerles.
Los gurú sirven para descifrar el lenguaje oscuro del mercado y el precio. Son traductores esotéricos, escudriñan el futuro mirando al pasado y basándose en los signos inequívocos que lanza el precio. En realidad, estas señales no son de ninguna manera infalibles y todos los youtubers tienen una opinión y, a menudo, cada indicación está en conflicto consigo misma y con otros expertos.
La confusión reina suprema y la única certeza es que cualquier movimiento en el mercado tendrá un solo responsable. Tú mismo. Si ganas, te sentirás como un rey. Pensarás en un futuro radiante y sobre todo libre. En caso de pérdida, te quedarás solo y abandonado en posición fetal.
Un todo o nada que hace de esta práctica un placer perfecto. Nunca te satisfará por completo.
El mundo de los youtubers es una manifestación real y verdadera de la CryptoJungla.
En las garras del mercado, comencé a seguir cuidadosamente al Trader Latino, alias Jaime Merino, y Bitcoin sin Fronteras, alias Jose Mazzucco como vimos anteriormente, que se han convertido en la principal fuente de "señales para ingresar al mercado". He seguido a muchos otros en los últimos meses, pero estos dos gurú se han convertido en el punto de referencia cotidiano.

---

[93] La oxitocina es un Jano Bifronte. Se pensaba que el papel de la oxitocina estaba ligado al amor, el bienestar y la solidaridad social, pero un estudio de Northwestern Medicine publicado en Nature Neuroscience ha demostrado que también puede provocar sufrimiento emocional y estados de ansiedad, derivados de situaciones estresantes.

¿Qué son las señales enviadas por los gurús?

Como contaba en las páginas anteriores, una de las claves para no acabar en las fauces del mercado es saber cuándo entrar y cuándo salir de una operación. Los gurú de Youtube además de sus explicaciones diarias, que casi siempre están online a la misma hora, tienen a menudo un grupo privado vinculado a Telegram donde envían a sus selectos seguidores señales de entrada y salida en orden aleatorio. Obviamente de pago.
Trader Latino, el primero al que seguí también en el grupo "vip", te acribilla con mensajes a cambio de 40 euros al mes, pagados en la plataforma Patreon. Rapanui empezó a seguir al señor Mazzucco.
Mientras estás en el bar, mientras estás trabajando, o estás en el dentista o estás haciendo una entrevista, llega el "tlingtling", el sonido que te alerta de un nuevo mensaje en Telegram.
Son mensajes directos, a menudo sin más explicaciones que indican qué comprar, incluyendo altcoin, bitcoin y ether, a qué precio comprar, si poner stop loss y dónde, cuánto volumen de tu budget invertir y el tiempo estimado de la operación con nivel de riesgo.
Los mensajes importantes son también los relacionados con la venta, indicados en el momento más o menos exacto en el que operarla.
Mientras pasas una bandeja de verduras en el supermercado en la cinta de pago, es posible que llegue el aviso de Jaime. Es hora de comprar o, más urgentemente, es hora de vender. El mercado es rápido y hambriento, quiere devorarte y no le importa si no es el momento adecuado para seguirlo. Cada momento puede ser crucial.
Así que te alejas rápidamente por un momento, miras el gráfico de 4h, luego el de una hora, yo también miro el de un minuto fruto de una perversión personal. Luego intentas calcular lo que sucederá y planificas un stop loss. Mientras los clientes de la fila te miran como si estuvieras jugando a Candy Crush. Qué saben ellos de que estás arriesgando mucho dinero con ese click. El cajero te mira fijamente. Todos te miran fijamente, mientras ocultas la pantalla para que las cifras no sean visibles y causen estragos en el frágil equilibrio de esta extraña sociedad capitalista. Finalmente haces click en "Buy".
Has abierto una nueva operación en 45 segundos netos. Y vuelves al flujo de la vida como si nada. Pagas la compra, la pones en el carrito, llegas al coche, cargas la compra en el maletero, te sientas al volante y ... inmediatamente compruebas cómo va con bitcoin. Y ahí sin falta ves que ya estás perdiendo una respetable cifra.

Es muy probable que esta sea una razón fuerte del interés humano. La adrenalina continua. La incertidumbre continua. El reto. El éxito y la derrota. Una prueba contigo mismo. Tú contra las velas verdes y rojas. Tú hacia un destino donde la libertad financiera se te otorga a través de la lotería de la Manolita[94], con su increíble cola de seis horas, o el casino del trading.
Eres bueno si produces y ganas dinero. Si, por el contrario, eres útil para los demás y para ti mismo de otras formas sin ganar dinero, eres un perdedor. Un *loser*. No estás categorizado. Si no es controlable, entonces algo anda mal según el feudalismo moderno.
Anyway, las señales de los youtubers te ahorran mucho tiempo, pero no siempre son 100% efectivas. De hecho, a menudo son una nueva fuente de hemorragia si no los combinas con tu estrategia muy personal. Es necesario escuchar múltiples fuentes y formarse una idea propia antes de lanzarse al mercado, como se mencionó varias veces.
La mejor idea no es simplemente seguir a un gurú. No confiar en una sola voz es una decisión acertada. Es necesario escuchar múltiples puntos de vista y la razón principal radica en que tu situación nunca coincidirá con la de nadie más. Solo tú sabes lo que sucede con tu cartera de inversión, cuánto es tu riesgo calculado, cuántos activos abiertos tienes.
Confiar ciegamente en las instrucciones de un youtuber nunca es una buena idea. De hecho, en mi experiencia, es un error.
Cada gurú sigue un estilo de trading diferente. Por ejemplo, Jaime establece su estrategia para el comercio *intradía*[95], mientras que Mazzucco elige operaciones un poco más largas que unos pocos días. Para corroborar la situación del gráfico y analizar la situación con una visión general, uno muy espabilado es el jovencísimo sueco Ivan on Tech[96]. Para una visión más general pero consistente, también Crypto

[94] La primera vez que vi la fila en la tienda de billetes de lotería de Madrid, no podía creer que fuera verdad. Una cola de cientos de metros de largo rodeaba la calle Preciados, llegaba a la Gran Vía, rodeaba el edificio y descendía de nuevo hacia la plaza de Callao, a la altura de la Fnac. Le pregunté a alguien cuánto tiempo había estado esperando y dijo "Durante seis horas". Colgando del hilo de la suerte, esperamos tener una vida mejor. Incluso si las estadísticas revelan una cifra global sorprendente sobre la tasa de suicidios entre los ganadores de la lotería. ¿Qué es el éxito?

[95] Trading rápido en el mismo dia o un día para otro.

[96]El canal de Ivan on Tech se encuentra fácilmente en youtube.

Casey[97]. Entre los más pintorescos que he escuchado está Bitcoin al Día, un español que tiene coronarias débiles y un afán más de un fanático que de un inversor. El italiano Tiziano Tridico que tiene un enfoque correcto y aséptico. Coin Bureau con muchos datos, hechos, comparativas. Todo lo contrario de The Moon, un chico al que le encanta la tautología. Luego está el cómico Fun on The Ride, un tipo verdaderamente *sui generis* que encuentra noticias interesantes y las cuenta de una manera muy poco ortodoxa.

Hay que hacer un esfuerzo para darles crédito, pero ya los parámetros de lo que es correcto y lo que no lo es, en quién se puede confiar y en quién no parecen haber quedado en las tumbas de nuestros abuelos. En la mega jungla mundial y en la CryptoJungla todo puede ser verdad y todo puede ser falso, mezquino. Solo lo sabrás viviendo.

La diferencia entre lo bueno y lo malo de los film western, en el mundo que se prepara para la era del post-humanismo, no es tan clara.

¿En quién puedes confiar? ¿En el Estado? ¿En el gobierno? ¿En el vecino? ¿En tu jefe? ¿Tu banco? ¿En tus amigos?

La inquietud de una era licuada[98] tiene sus pros y sus contras. Y un tipo con gafas de payaso puede, literalmente, cambiar tu vida para mejor, mucho más que los zombies que ves en la televisión o los seres uniformados detrás de las mismas chaquetas y corbatas de colores que se estresan toda la vida para luego comprar algo para concederse una pequeña gota de adrenalina en una existencia en su mayoría sin ningún objetivo trascendental.

En esta selva negra de voces descontroladas, todo el mundo habla mal de todo el mundo. Mala señal.

Algunos youtubers se especializan en lanzar flechas envenenadas a sus competidores directos, usando tonos duros y constantemente denunciando las presuntas estafas de los demás. El gran maestro es Master Maveric, un censor absoluto. Todos los días se encarga de atrapar a un trader de Youtube e insultarlo, explicando por qué su método es una verdadera estafa. Sus videos atacan a Daniel Muvdi miembro del equipo de Quantfury, David Bataglia, Trader Latino, Bitcoin al Día, entre otros.

Por ejemplo, hablando del youtuber The Moon, muy popular con cuatrocientos mil seguidores suscritos a su canal, Maveric analiza sus

---

[97] youtube.com/c/CryptoCasey.

[98] La Modernidad Líquida es una categoría sociológica que sirve para definir el estado actual de nuestra sociedad según el sociólogo Zygmunt Bauman

videos y enfatiza la capacidad de decir todo y lo contrario de todo en el espacio de unos minutos. La técnica denunciada es intuitiva. Si dices todo y lo contrario de todo siempre tendrás razón. Y ahí radica el negocio principal de los youtubers que buscan consenso. Al día siguiente sin falta el supuesto gurú reanuda la conversación diciendo "como te dije ayer ..." y muestra el video donde estaba diciendo exactamente la verdad, omitiendo científicamente la parte en la que estaba descaradamente equivocado.
Maveric nunca pierde una oportunidad a su vez de contradecirse repetidamente y de martillar con la venta de un curso de 350 euros a sus fieles. No parece preocuparle caer en el delito de difamación.
Se habla y se critica, se insulta abiertamente sin remordimientos. Y en todos los canales he escuchado hablar cosas malas de otros, lo cual no es una buena señal en absoluto.
Algunos trader muestran sus inversiones en tiempo real, otros no. La sensación es que en general estén ganando dinero principalmente vendiendo los servicios a sus seguidores, no haciendo trading como predican. Y, punto promiscuo, muchos youtubers son pagados directamente por los *exchange*.
¿Servirán los intereses de sus seguidores o los intereses de las plataformas? Duda hamlética de fácil solución.
¿Cuánto ganan?
Quantfury al parecer paga a sus "megáfonos" alrededor de 3 mil dólares al mes. Trader Latino, por ejemplo, parecería haber sido contratado por Quantfury en el pasado, relación que terminó mal tras un enfrentamiento público con el Ceo de la plataforma Lev Mazur, quien sin preocupaciones hacia la privacidad y el *aplomb* mostró públicamente las operaciones del Trader Latino para subrayar cómo estaba sistemáticamente perdiendo y provocando pérdidas continuas a sus seguidores. Desde entonces han sido enemigos acérrimos y no faltan oportunidades para averiguarlo.
Estos youtubers escapan a cualquier tipo de entrevista y no les gusta responder a las preguntas de los periodistas. Mala señal.
Trader Latino, a quien sigo a diario, me genera sentimientos encontrados. Actúa como predicador, repite, siempre martilla los mismos conceptos con siempre los mismos patrones y, a menudo, dice verdades a medias, ocultando a su gente los matices de algunas decisiones equivocadas. No admite fácilmente haber recibido una derrota en una operación. Nunca he escuchado en los primeros meses desde que lo seguí un "Me equivoqué" de él. Jaime en Telegram envía

señales a una tribu de 1700 personas, que si multiplicamos por 40 euros al mes...
No se conocen sus inversiones reales transmitidas en vivo. Casi nunca muestra sus operaciones.
Su estrategia es mirar tres indicadores en los gráficos de temporalidad distinta, 4 horas y un día en su mayoría. Con estos indicadores y siete años de experiencia en el cryptomercado, lleva a su comunidad hacia una victoria anunciada, constante y pausada, sin mayores inconvenientes. En teoría, se gana poco a poco, pero de forma constante. Al menos esa es la teoría. En la práctica, a veces Jaime no es exactamente consistente. Tampoco es infalible. Me habría dado cuenta con el tiempo. Sobre todo, es sospechoso que no responda a las solicitudes y se escurra de cualquier posicionamiento. No parece ser el espejo de la transparencia. La impresión es que el objetivo principal es hacer crecer cada vez más a sus seguidores, más que formar Rambos de la CryptoJungla.
Pero, ¿su estrategia es ganadora? Espero poderlo confirmar con el tiempo.

Las ballenas y las trampas del cryptomarket

En el mercado pululan trucos indigestos. En una audioconferencia lanzada en Telegram por Jose Mazzucco, capitán del canal Bitcoin sin Fronteras, el experto trader del mercado tradicional John H.[99] contó cómo los novatos son colocados por los broker tradicionales, las plataformas para comprar y vender, en grupos definidos. Cuando entras por primera vez, te colocan en el grupo uno, donde ganas ocho de cada diez veces. Los recién llegados generalmente invierten poco, por lo que las pérdidas del broker están controladas. Cuando termina esta fase, el broker te empuja a entrar en el grupo 2 donde pierdes cuatro y ganas seis de cada 10. Cuando el trader comienza a confiar en sí mismo, el corredor le pide que se una al grupo de élite que requiere una inversión de al menos 50 mil dólares. En ese momento, estás en el grupo en el que el trader gana una vez de cada 10, por lo que el broker compensa las pérdidas pasadas.

[99] Hay que acostumbrarse a que en el mundo de Mad Max de la CryptoJungla los personajes más respetados también pueden ser anónimos o conocidos con un nick. Es el mundo de "tienes que confiar". Un verdadero lejano oeste digital donde el profeta es el desconocido Satoshi Nakamoto.

En la práctica, cuando entras en el mercado "normal" y crypto, estás inmerso en un mar donde ganar es realmente difícil y no depende solo de ti. John H. señaló que es muy similar a jugar a las máquinas tragaperras, cuando vas al casino ganas al principio. Para luego dejar, con el paso del tiempo, todo el capital en el mostrador.
En el sotobosque de las cryptomonedas, los gurú-youtuber-trader suelen hablar de fenómenos naturales muy extraños.
El más famoso es el avistamiento de ballenas.
En el océano turbulento e impredecible de bitcoin, hay todo tipo de tesoros y peligros. En aguas profundas viven los seres mitológicos del cryptomar, las "ballenas". Son seres enormes que viven en la más absoluta oscuridad y de vez en cuando se despiertan para dar un golpe de cola y sacudir el mercado. Con un movimiento mueven los bancos de peces pequeños - como yo en esta primera operación - y luego se los comen vivos.
Se les llama "ballenas", pero tienen los dientes afilados de los vampiros.
Las ballenas son grandes acumulaciones de bitcoin controladas por "alguien" que decide vender repentinamente una gran cantidad de dinero para generar incertidumbre y así acabar con los débiles en la cadena alimentaria del mercado, fomentando así el miedo entre los débiles de corazón que cometen bajo estrés el error más clásico, vender. Los débiles, fieles al llamado *fud, fear, uncertainity, doubt*[100], venderán cuando todo se derrumba.
Vender cuando el precio baja y comprar cuando está galopando es parte de la psicología humana, que reacciona ante situaciones de manera completamente espontánea, dando espacio en el contexto cryptográfico a la carnicería continua.
Cuando el precio empieza a subir, entra en juego el *fomo, fear of missing out,* el miedo a perder la oportunidad. A medida que sube el precio como si tuviera una inyección de helio, todo el mundo se apresura a comprar para no perder el tren. Error. Las ballenas según las teorías repetidamente denunciadas por los gurús, moverían el mercado para hacerlo caer en estas ocasiones, para hacerlo retroceder y entrar en un punto muerto, de incertidumbre. Quien tiene operaciones abiertas muy arriesgadas con fuerte apalancamiento es liquidado.
Cuando la ballena está satisfecha, vuelve a comprar grandes cantidades de bitcoin y el precio reanuda su carrera ascendente. Para las ballenas es

[100] Para manipular el mercado y sumar miedo, incertidumbre y duda se utilizan estrategias de todo tipo, desde fake news hasta manipulaciones reales del mercado.

una estrategia especulativa perfecta. La aparición de las ballenas en las explicaciones de los yotubers me dio una nueva perspectiva en mi hemorragia personal que comenzó el 23 de febrero. La explicación más sentida en estos días fue “Ahora estamos a merced de las ballenas”.

Mientras la CryptoJungla se divide entre aquellos que esperan ver este galope *to the moon* y otros que creen en un nuevo calvario a la baja para los próximos meses, el razonamiento correcto es el más objetivo.

Si el precio baja, crea nuevas oportunidades. ¿Qué significa? Que cada vez que el precio baja el trader sigue con su idea y compra. Luego revende cuando todos compran y el precio estará en ascenso.

Los trader compran de las manos de los pesimistas y venden a los optimistas más empedernidos. Es un juego infinito, desvinculado de cualquier otra noticia o valor.

En la supuesta manipulación del precio en el mercado por parte de las ballenas, muchos youtubers se refieren a los grandes *exchange* como supuestas ballenas, porque estas plataformas conocen la posición de las órdenes de compra y de venta de sus usuarios y si realmente fueran ballenas ellos mismos - con la capacidad de manipular el mercado vendiendo o comprando grandes cantidades de bitcoin - jugarían con una gran ventaja y podrían influir continuamente para absorber liquidez.

Si dejo caer el valor de bitcoin durante unos segundos y liquido las posiciones de miles de víctimas sacrificadas, tendré una liquidez considerable para engordar mis fauces.

Entre las denuncias de otra índole por parte de los usuarios se encuentra la no activación de los stop loss. El trader piensa que está protegido, pero el paracaídas desaparece[101] y las pérdidas se vuelven importantes en caso de caída de precios.

También están los que han tenido problemas para retirar sus bitcoin “ganados” y los que denuncian el bloqueo arbitrario de la cuenta sin motivo, con consecuente pérdida de todo su budget. Otra incidencia es la dificultad de operar cuando el precio sube o baja con efervescencia. En un momento de euforia, por ejemplo, el *exchange* se ralentiza y a veces no permite comprar ni vender. Presumiblemente, problemas técnicos.

[101] Porque no hay ningún comprador dispuesto a comprarle la cryptomoneda a ese precio. Sucede en *exchange* más pequeños con menor liquidez

Hasta ahora, a decir verdad, en las únicas ocasiones en las que ha pasado algo mal, la plataforma que uso por ahora, Quantfury, ha recuperado el status quo en cuestión de minutos.
Una última historia de miedo es bien conocida en la CryptoJungla. Las plataformas multicolores que existen son muchas y de diferente naturaleza. Son empresas con sede "quiénsabedónde" y son recurrentes las historias de desaparición de un día para otro con todo el cryptodinero de sus usuarios. En la CryptoJungla nadie se fía de nadie. Por esto es muy importante estar muy atentos y cuidar mucho dónde se aparcan o se guardan las cryptomonedas.

"A luta continua a vitoria è certa"[102]

Mientras me encontraba sacudido en peligro en medio del océano con mi operación abierta el 23 de febrero, la atmósfera se volvió pesada. Los días que siguieron fueron un coro de lágrimas. El youtuber a quien bauticé como "niño atacao" profetizó la catástrofe. El precio podría caer hasta 42 mil. Y si caía más, era prácticamente el comienzo de una larga agonía que duraría años. Para mí habría sido una catástrofe, justo al comienzo de mi aventura.
En la historia de bitcoin existen puntos de no retorno y en este momento son 42 mil dólares. Bitcoin después de pasar esta cifra nunca ha regresado a este punto. Y puede que nunca más en su historia vuelva a este valor. Si de lo contrario un día rompiera este soporte de 42 mil dólares, significaría que la tendencia cambia y, en lugar de la marcha triunfal, los trader cambiarían su armadura alcista con cuernos de toro, por la bajista y esperarían el invierno abrigados con una piel de oso[103].
Como dijo el gurú de los gurú Graham, el precio es impredecible. Nadie sabe si mañana estallará la burbuja y te quedarás con monedas que no valen nada o si la confianza colectiva te llevará a tener los mejores activos de la historia a tu completa disposición sin intermediarios.
Hace tiempo que se esperaba una caída lenta o repentina del precio. Es una dinámica cíclica. La última vez que sucedió fue en 2017, cuando bitcoin colapsó de 20 mil dólares en muy poco tiempo a 3 mil, para permanecer flotando en esa cifra durante dos años.

---

[102] Un slogan del MPLA durante la guerra de la independencia de Angola en 1975.

[103] El toro y el oso son los dos símbolos de subida y de caída.

Desde los 5 mil dólares, en una escalada infernal en 2020, volvió al *bull run*[104] para correr hasta los 60 mil dólares en estos días primaverales de 2021. Los que entraron al mercado en 2020 se acostumbraron a ganar. Pero el viento en cualquier momento, probablemente en 2022 cambie o peor aún cambie el viento en estos días.
Gurú Jaime sigue repitiendo "compra, compra" porque su estrategia es comprar cada vez que baja el precio. Pero cuando estás perdiendo mucho y no tienes mucha experiencia, no quieres volver a comprar. Decidí no escucharlo liberándome de su estrategia. Entendí que la estrategia debe ser hecha a la medida, no puedes seguir escuchando solo lo que te dicen que hagas.
Practiqué la paciencia, una habilidad esencial en este ambiente extraño y árido. Así lo pensé, repitiéndome: "No quiero perder, no quiero terminar perdiendo y quiero tener la firme esperanza de terminar con una victoria consistente".
Elijo el riesgo, pero no la derrota, con la esperanza de una subida del precio. Después de todo, al final del año llegará a los 90 mil dólares. Eso dice todo el mundo.
La estrategia que estoy adoptando, mientras me encuentro en fuertes pérdidas me ha privado de la posibilidad de seguir especulando hasta que se cierre la transacción y me deja en el limbo de una posible pérdida sensacional si realmente bitcoin llega a los 42 mil dólares.
El coraje y sobre todo la confianza son los conceptos más importantes en esta jungla.
Pasaron 19 días de agonía, de estudio, de líneas verdes y rojas, más rojas que verdes, de noticias raras, de mensajes del gurú como si fueran agua en el desierto. Una agonía que poco a poco con el pasar de los días se fue convirtiendo en insensibilidad, hasta el punto de deslizarse en la indiferencia de quien está seguro que ha adivinado la estrategia.
El 14 de marzo cerré la operación con el precio de bitcoin en 61 mil dólares. Una victoria sensacional. Traumática, atrevida, lenta, pero sensacional. La suerte del novato.

El salto histórico

Mientras escribo esto, el carrusel de emociones ha comenzado de nuevo, porque como un verdadero "sin paz" regresé de inmediato al mercado.

---

[104] La cabalgada hacia la cima se llama *bull run*, mientras el *bear run* es la caída libre.

Quizás sea el momento adecuado para que bitcoin pueda llegar a los 70 mil dólares. Y sinceramente quiero asistir al evento con una operación abierta y posiblemente muy apalancada.
Todo está en juego nuevamente, bitcoin no logró romper su máximo histórico de 61,8 mil dólares. Después de la rocambolesca y atrevida operación que me vio protagonista en la mayor caída del precio de bitcoin en pocas horas, regresé con más juicio y escuchando las indicaciones del gurú, a pesar de que la percepción de ambigüedad que registraba en su comportamiento seguía estando presente y crecía con el paso de los días.
El 18 de marzo, Jaime lanzó un *dictat* en Telegram. "Comprad bitcoin, ahora". El precio en 57,8 mil dólares. Estamos esperando el gran viaje hacia lo más alto de todos los tiempos.
Armado con gran entusiasmo y bajo el sabio consejo del gurú entré con gran fuerza. Unas horas más tarde, estaba nuevamente en una profunda pérdida porque bitcoin tomó a contrapié a la CryptoJungla y se deslizó a los 56 mil dólares. Comenzó un nuevo largo calvario.
Bitcoin a 53 mil dólares.
Jaime lanza una bomba de humo y abandona a sus fieles al no enmendar su error y reiniciando su habitual "compra ahora que es bajo", "compramos bajo y vendemos en alto", sin hacer ninguna referencia al hecho de que habíamos comprado entrando de la peor manera posible.
Si el gurú se equivoca, la responsabilidad es tuya. Si el gurú lo hace bien, las ganancias son todas para ti.
Estaba fuerte de mi primera experiencia y ya me parecía entender la lógica. Si tienes suficiente capital en tu cuenta, como para permitirte no ser liquidado con una fluctuación a la baja del 30%, tienes una alta probabilidad, no segura, de salvarte en operaciones abiertas y peligrosas sin un stop loss que actúe como un paracaídas[105].
El 24 de marzo, después de agotadoras jornadas de espera y una continua caída en el precio, llegó como un viento cálido uno de esos eventos excepcionales que mueven el mercado.
El *tweet* de Elon Musk "Ahora puedes comprar Tesla con Bitcoin"[106]. El Ceo de Tesla, famoso por su pasión por bitcoin y su visión marciana del

---

[105] El significado de estas frases puede resultar oscuro, pero después de un necesario estudio, pueden entenderse y compartirse.

[106] En mayo un *tweet* de Musk rectificó esta noticia. Tesla no acepta más bitcoin porque contaminan demasiado. El desplome de bitcoin fue terrible, 9 mil dólares en una hora.

futuro humano, lanzó lo que representa una gran noticia para la CryptoJungla.
Si los agentes económicos aceptan la extravagancia de esta joya tecnológica y bendicen su valor, esto convierte a bitcoin, según las teorías económicas imperantes, en un activo respetado que podrá mantener su fortaleza a lo largo de los años.
El 29 de enero, el cambio en la descripción de la cuenta de Twitter de Elon Musk, cuando simplemente mostró la palabra bitcoin en su perfil, hizo que el precio se disparara 10 mil dólares en una hora. En su perfil había aparecido un "bitcoin" y nada más.
Un mes después, Musk afirmó haber comprado 1,5 mil millones de dólares en bitcoin. Otro impulso de confianza. Otra gran oportunidad especulativa para Musk.
El anuncio de que ya se podía comprar un automóvil Tesla con bitcoin tuvo efecto automáticamente. Bitcoin subió inmediatamente a los 56 mil.
Entonces, ¿comenzó una subida hasta el máximo histórico de 61 mil dólares? No. Resultó ser "flor de un día".
El 25 de marzo, el golpe fue horrible y Bitcoin tocó los 50 mil euros.
El corazón en la garganta. Vidas rotas en Sudamérica, Estados Unidos, Asia, África, Europa y Oceanía. Vidas hipotecadas y ahora quemadas por el imprevisible movimiento del precio. Cada descenso de esta magnitud trae consigo el olor a ceniza, las lágrimas de todo un pueblo que espera un éxito gordo para poder tener una vida tranquila. La vida tranquila como utopía.
En la noche del 27 de marzo, todos cruzaban los dedos para que el precio no rompiera el soporte de 47 mil dólares.
Reflexiono pacientemente. Una vez más me encuentro a merced de las olas. Mis fondos en manos del destino.
Esta vez estoy mucho más preparado, más consciente, también tengo una estrategia y sigo a un gurú marcándolo de cerca. Aun así, estoy en una nueva operación con malas pérdidas desde hace días.
Me arriesgo a perderlo todo de nuevo. Las nefastas noticias comienzan a llover nuevamente sobre el pueblo de las cryptomonedas. Twitter de luto. Youtube dispensando anatemas.
Mi gurú en lugar de confesar públicamente, se esconde y no hace justicia. Sigue impávido repitiendo las mismas cosas, intercalando una característica "lo ve' ahí", "lo ve' ahí", pero sin la sombra de una palabra de consuelo para alguien como yo que lo ha seguido en este hundimiento.

En sus sermones online, que coinciden con nuestras cuatro de la mañana en Europa, elude, no aborda el tema. Me siento nuevamente abandonado y sobre todo solo.
Y recuerda, cuando ganas eres el rey. Cuando pierdes, solo estás en posición fetal.
El 28 de marzo, el trader Ruarte, un gurú que llegó a mi mail a través de una newsletter de Tradingview, me presenta por primera vez un "patrón armónico" llamado *bat*. Esta figura del gráfico indica un cambio de tendencia temporal, para volver a la tendencia anterior. Es redundante, pero es así.
El patrón *bat* es un patrón de retroceso y continuación que se produce cuando una tendencia invierte temporalmente su dirección, pero luego retoma su dirección original.
¿Qué significa? Que el precio de bitcoin pronto volverá a subir, incluso si las noticias de los gurú hablan de un rebote, pero para seguir cayendo. ¿Subirá o bajará? El dilema es siempre el mismo, se reitera todos los días.
La posibilidad que todos esperan es que vuelva a galopar, por la revolución que representa, para continuar el camino hacia un nuevo El Dorado virtual que muy probablemente creará un mundo muy diferente al que hemos vivido hasta ahora.
Jaime con los arcabuces del curandero sacó las señales de los gráficos de 1 hora y 4 horas. Según él, dejaban pocas dudas. La "direccionalidad positiva con pendiente negativa"[107] indicaba claramente que comenzaba un momento complicado. Todavía me esperaba una serie de noches de insomnio. Todo sucede de noche. Mientras dormimos en Europa, Estados Unidos está en llamas. Alrededor de las 6 am Asia se despierta. Y yo no duermo.
Mantenerse al día con todas las noticias y la volatilidad se convierte en un trabajo totalizante.
Mientras que *stockmarket* normales cortan por la tarde y duermen por la noche y los fines de semana, el mercado de bitcoin y cryptomonedas nunca cierra. 24 horas, siete días a la semana. Así que estás condenado sin pausa a esperar a que los acontecimientos guíen tu próximo paso. No hay sábado, domingo ni fin de semana. No hay Semana Santa ni Año Nuevo. Estás de guardia constantemente, como en el nuevo mundo del trabajo de las nuevas generaciones.

[107] Una jerga técnica que identifica el mantra de la estrategia utilizada por el trader que sigo. Se basa en el estudio de indicadores Sqzmom LB e ADX. Hay que activarlos en Tradingview.

Cada movimiento ascendente puede ser glorioso y en poco tiempo puede atribuir más ingresos que un mes completo de trabajo de 8 a 8. Cada momento puede ser también traicionero y marcar un punto de inflexión. Puede ser la gloria o la ruina en un péndulo infinito.
Para ser trader hay que tener una estrategia clara, mental, racional y sobre todo, como se ha mencionado varias veces, no emocional. Ahí es donde todos los novatos se equivocan. Leen "Bitcoin rompe su récord" y corren a comprar. Luego viene una bajada de 10 mil dólares en 4 horas y traen a colación al empresario Daniel Steven Peña, muy famoso en la CryptoJungla por haber gritado desde el escenario de una conferencia el famoso "Bitcoin is going to zero! ... Zero!". Predijo el final de la cryptomoneda. Peña ya se ha disculpado públicamente por la predicción incorrecta.
En esta espera de semanas he entendido algo que me parece efectivo. Los youtuber que te cuentan todas las novedades del día para explicarte lo que va a pasar suelen ser poco útiles para el trading. Si el gurú dibuja demasiadas líneas en la gráfica entre triángulos y rangos, es una trampa. Aquellos que enfatizan la obviedad de "puede subir o bajar" mejor dejarlos *ipso facto*.
Es mucho mejor tener las ideas claras para saber qué hacer antes de que sucedan las cosas y cada uno tiene su propia forma de predecir el futuro. Si eres nuevo primero debes escuchar y aprender de los gurú que más te inspiran. El problema es que el coro de voces es evidentemente contradictorio. Incluso el mismo gurú puede decir todo y su contrario en el mismo video.
La complejidad del análisis gráfico radica en el hecho de que las variables son muchas e impredecibles entre cuestiones históricas, patrones que se repiten, eventos inesperados y todo tipo de algoritmos de apoyo. No es fácil hacerlo bien. A esto se suman comportamientos de precio excepcionales que no siguen aparentemente ninguna regla.
Para tener una estrategia necesitas indicadores. Cuando los indicadores se alinean de cierta manera, se puede aventurar una predicción para el futuro.
Sin emoción si ves una señal de entrada, entras. Si estás ganando, vendes para cosechar los beneficios.
Lo importante es la base, es decir, entender cuándo entrar y cuándo salir de una operación.

Fibonacci: el matemático italiano ligado al futuro

Para tener una mayor probabilidad de adivinar lo que sucederá en el futuro, debes estudiar. "No es necesario tener estudios especiales" según lo que dice Graham en su Biblia del trading, pero hay que aprender ciertos conceptos técnicos desde el primer minuto.
El primer concepto a comprender es la historia. El gráfico de bitcoin y las deducciones que se pueden hacer se derivan de su historia muy particular. Aunque el trading tradicional proporciona la base para el análisis de gráficos, lo que es cierto para bitcoin no es cierto para ether y menos para las monedas *fiat* u otros tipos de activos como el oro, por ejemplo.
La historia de bitcoin tiene poco más de diez años y en este tiempo ha formado su Adn en constante cambio. Estudiar lo que sucedió antes de hoy es crucial.
El pasado nos muestra dos conceptos esenciales, las "resistencias" y los "soportes". Cuando el precio no supera una determinada cifra, significa que "ha encontrado resistencia". Cuando no baja más de cierto nivel, significará que ha encontrado "soporte".
¿A qué bajada de precio puedo resistir para no quedarme fuera de la operación perdiendo todo mi presupuesto? ¿Cuál es la probabilidad de que el precio baje a cierto nivel?
Para responder a la pregunta llega el matemático italiano Leonardo de Pisa, también llamado Leonardo Pisano, Leonardo Bigollo o simplemente Fibonacci. En los discursos eruditos de los youtubers a menudo escuchamos mencionar este nombre. El matemático toscano "difundió en el siglo XIII en Europa la utilidad práctica del sistema de numeración indo-arábigo frente a la numeración romana y fue el primer europeo en describir la sucesión numérica que lleva su nombre"[108]. Esta sucesión numérica está continuamente presente en la jerga del trading porque es un esquema que, aplicado sobre el gráfico, indica los porcentajes utilizados para determinar niveles de resistencia o soporte, localizar rangos de precios, identificar precios objetivos a los cuales deberían llegar las cotizaciones de determinado activo financiero y determinar el periodo de tiempo que posiblemente durará un movimiento específico del mercado. Esta información puede ser

---

108 Wikipedia.

utilizada por el trader para crear estrategias y profundizar el análisis del mercado[109].
Esto significa que, siendo breves y menos técnicos, existe una herramienta gráfica que puedes utilizar para saber qué tan probable es que el precio suba o baje a un cierto nivel.
Fibonacci es solo una de las miles de herramientas existentes. El gráfico de Tradingview forma sus velas con el paso de los segundos siguiendo el precio de mercado de la cryptomoneda. La curva principal está acompañada de otras curvas que calculan diferentes datos, como el volumen de operaciones - si la gente compra o vende y cuánto -, que nos ayuda a saber cuándo comprar nosotros o cuándo estar alerta.
En la estrategia del gurú que sigo hay cuatro indicadores principales.
La línea blanca del llamado Adx baila junto con la del impronunciable Sqzmom_lb[110] y las dos curvas junto con la del volumen indican las mejores entradas y salidas al mercado. Son bastante indicativos pero no siempre son fieles al futuro. Otros indicadores acarician, apoyan, sostienen la curva de precios. El más famoso es la Ema[111].
A través de estos parámetros, el precio que parecía fluctuar aparentemente en libertad, en realidad sigue ciertas barreras invisibles.
Si puedes permanecer en silencio durante horas observando, pensando, especulando, puedes enfrentarte a algo tan electrizante e inútil que es el trading. Parece un constante lanzamiento de la moneda al aire, adivinando si saldrá cara o cruz.
Cuando estudias, aprendes, experimentas y sigues a muchos gurú repitiendo su mantra todos los días te das cuenta de que ver el vuelo de los cuervos negros en el cielo es realmente un presagio de fatalidad.
Si los parámetros se cruzan de una manera específica, dada la historia y las tendencias pasadas, las similitudes, la intersección de los gráficos debes deducir el presagio de algo independientemente de lo que todos los demás estén contando al mismo tiempo.
Observar los gráficos de bitcoin (como cualquier otro activo) significa comprender la realidad multicapa de nuestra existencia como una metáfora. El "placer" perfecto del trading, que nunca te satisface,

[109] Los niveles o relaciones más utilizados por los operadores en el Forex y otros mercados son los siguientes: 23.6%, 38.2%, 61.8% y 161.8%. tecnicasdetrading.com/2010/06/fibonacci-forex-trading.html.

[110] Como decía en párrafos anteriores, son indicadores que pueden ser activados en tradingview.

[111] Si la curva de precios principal toca la Ema, mientras que la curva de volumen sube y la curva blanca muestra una tendencia "alcista", un posible pronóstico es que bitcoin subirá.

incluso frente a las ganancias más gratificantes. Te ocupa constantemente y tienes algo que hacer y pensar todo el día. Si lo haces bien y te acompaña el destino, puedes ganar mucho más de lo que habías imaginado hasta ese momento.
Un concepto que Jaime a menudo repite. “El mercado está hecho para quitarte tu dinero. Si alguien gana es porque los demás pierden”. Quantfury habla de sus usuarios señalando que el 70% pierde.
Por tanto, el primer objetivo es no perder.
Mientras, mi operación lleva dos semanas abierta y me enfrento a los primeros días de abril de 2021 arrojado al matadero torpemente por mi gurú. Bitcoin descansa a un ritmo lento. El volumen de operaciones es bajo. Hay poca euforia. La expectativa de romper el récord histórico sigue siendo un espejismo.

MILLONARIO EN UN AÑO
Una increíble historia real

Bastian Montoya es un tipo inteligente que conocí hace unos años. Es un chico de mi edad más o menos que engloba dos características interesantes en un mismo cuerpo. Por un lado, es un ingeniero con una mente formateada para cálculos de patrones repetitivos. Por otro lado, tiene una inquietud creativa que le ha llevado a trabajar de alguna forma relacionada con la emoción.
El nombre, más por mi voluntad que por la suya, lo elegimos juntos, porque en esta sociedad, a pesar de que el dinero es el santo Grial y es el objetivo número uno de casi todos los cerebros humanos, es algo de lo que no se habla libre y abiertamente.
Es paradójico, pero es así.
A veces puedes vivir con una persona durante años sin saber cuál es su salario. O saber cuánto gana tu padre. Es paradójico y también un signo inquietante de la perversión de esta organización colectiva. Bastian se dejó convencer de que no usara su nombre real y yo propuse esta hipótesis para protegerle. Su historia es demasiado atractiva y podría inspirar la atención de gente maliciosa y "amigos" envidiosos, por eso prefiero contarla sin este posible efecto negativo.
A Bastian le gusta ir al monte cuando tiene algo de tiempo libre y su filosofía de vida es tremendamente interesante. "Nunca he sido rico, pero siempre he tenido todo y más de lo necesario, y en los últimos años mi objetivo real ha sido trabajar de la manera más eficaz y lo mínimo posible", dice Bastian. En su algoritmo personal, trabajar menos horas al día, menos días a las semana, menos meses al año,

siempre ha sido un punto de llegada, una estrategia de vida para estar mucho tiempo con sus hijos y su amada esposa.
Aún no ha logrado completar este esquema, pero ahora se está acercando mucho y conseguirá, si todo va bien, también mejorarlo.
Hasta el *lockdown* de 2020 en su trabajo, que iba muy bien, entendió que tenía que subir los precios para reducir clientes y ofrecer un servicio de calidad. Con la llegada de la peste moderna, todo se detuvo. Y su mente de ingeniero comenzó a buscar formas alternativas.
Desde mis primeros pasos en el mundo de las cryptomonedas hace un año, hemos intercambiado información útil para adentrarnos en la CryptoJungla. Y lentamente Bastian se abrió paso con el machete, en la mata, a una velocidad que me impresionó.
Por una circunstancia de vida, involuntariamente fui la chispa que le llevó a darse cuenta de algo que se había estado gestando durante años.
"¿De verdad crees que sigue siendo una buena inversión?" me dijo en marzo de 2020. Se convenció rápidamente.
Mientras compraba mis primeros satoshis, él estaba poniendo su capital, los ahorros de los últimos años, en el vórtice de bitcoin. Comenzó comprando un bitcoin completo en marzo. Luego, con su mente inquieta e ingenieril, comenzó a estudiar en todo el mundo crypto, finanzas descentralizadas, ocasiones locas de inversión. Fue él quien me advirtió de la llegada del halving en mayo.
"Cuando empecé en marzo tenía dudas. Durante años había estado estudiando el protocolo bitcoin con avidez desde el punto de vista ingenieril porque es increíblemente interesante, la computación y las partes matemáticas son de una perfección asombrosa. Pero desde un punto de vista especulativo el precio era ya de 30 dólares, había subido mucho y en ese momento tampoco tenía mucho para invertir. Muchos hablaban de la burbuja, que bitcoin volvería a cero y yo abandoné la idea. Lamenté mucho esta decisión", admite Bastian. "En 2020 habíamos decidido comprar una casa y yo tenía un poco de dinero ahorrado que decidí, sin tener ningún conocimiento del mundo de la inversión, invertir en fondos y acciones. Fue en ese momento que volví a la idea de bitcoin, el protocolo me volvió a fascinar, pero una vez más no estaba seguro, porque muchos todavía hablaban de la burbuja y tenía un poco de miedo a entrar.
De repente, sin embargo, me obsesioné y comencé a estudiar de verdad la parte económica. Descubrí la alta probabilidad de que bitcoin aumentara su valor a lo largo de los años como reserva de valor, debido a su número limitado de unidades y a la imposibilidad de que ninguna

institución o gobierno pueda influir en su desempeño imponiendo la creación de más dinero.
De alguna manera, está destinado a aumentar de precio. Los altibajos son fisiológicos, pero en los medios tradicionales cada caída es una oportunidad para recordar que bitcoin es una burbuja y llegará a cero.
Ahora que estudié profundamente la tendencia de bitcoin, puedo asegurar que bitcoin es una burbuja cada cuatro años", me cuenta irónicamente Bastian. El constante error de perspectiva de los medios los lleva con demasiada frecuencia a no comprender completamente el protocolo de Bitcoin y a demostrar que no conocen los ciclos de halving. Con cada halving, hay dos años de subida, seguidos de dos años de caída en el precio (y ahí es donde vuelve el coro "va a cero"). En 2021 finaliza el ciclo alcista y hasta 2024 habrá un nuevo momento de estancamiento y caída del precio. Esta caída podría ser del 30%, 40%, pero en el halving anterior el precio bajó a más del 80%. "¡Va a cero! ¡Cero!" como decía descaradamente el empresario Daniel Steven Peña. "Cuando estaba sobre los 6 mil dólares compré un bitcoin. Volviendo atrás habría comprado mucho más" confiesa Bastian, recordando un razonamiento común y constante en el mundo crypto. "Con el pasar del tiempo he creado un portfolio mucho más diversificado, con muchas cryptomonedas y estoy muy fascinado por el mundo de la finanza descentralizada, pero todavía no la entiendo perfectamente.
Mientras de bitcoin comprendo hasta el fondo sus mecanismos, la parte técnica, con el DeFi siento que se me escapa algo. Entiendo los smart contracts y ethereum pero no hasta el fondo la dinámica de las piscinas de liquidez, por ejemplo, por esto quiero profundizar el estudio" explica Bastian, que sigue "Me fascina cómo ahora sin depender de ninguna entidad central puedo hacer operaciones que antes podía realizar solo con la intermediación de la banca. Ahora se pueden hacer descentralizadas sin depender de un gobierno que tome una decisión que te cambie todo".
Se enciende Bastian, "Esto es el futuro y todavía está en pañales, totalmente emocionante".
Bastian se informa mucho en Internet y sigue a varios youtubers, "Fun on The Ride" por ejemplo es un humorista pero habla de generalidades y me he enterado de muchas novedades con él, Bitcoin sin Fronteras, Bitcoin al Día, en inglés sigo a Ivan On Tech, un chico muy preparado, aunque a veces no entiendo su inglés, Bitcoin Express para nuevas monedas, Crypto Casey pero que me cansa porque cuenta siempre lo mismo y Chico Crypto que habla de cosas muy punteras antes de que

entren en el punto de mira de la multitud. Por ejemplo ahora le sigo porque estoy intentando entrar en el mundo de las Ico comprando con anticipación las monedas de nuevos proyectos".
Un día hablando con un amigo Bastian descubrió que había *exchange* que te prestaban dinero para hacer trading, como Quantfury.
"No me lo podía creer" cuenta Bastian, "Al principio no me gustaba porque perdí dinero, pero luego estudiándolo bien me di cuenta que podía pertenecer a aquel 10% de gente que se saca un sueldo haciendo trading".
Él fue mucho más allá que esto y se metió de lleno.
Quantfury te permite apalancarte y Bastian empezó a invertir con el apalancamiento con resultados impresionantes.
"Invirtiendo 100 dólares gané en poco tiempo 13 mil", asegura. Era marzo y el mercado empezaba a dar señales de crecimiento exponencial.
"En realidad con la misma velocidad perdí los 13 mil dólares" confiesa Bastian Montoya, que explica "No puse el stop loss y una fuerte bajada me liquidó". El más clásico de los errores.
"Esto me sirvió para aprender y decidí invertir con mucho riesgo. Hice unos cálculos y decidí invertir 10 mil dólares con el plan de ganar 1 millón de dólares. Vi que era posible. El mes pasado cuando el bitcoin tocó los 64 mil dólares tenía en mi pantalla de Quantfury una ganancia de 500 mil dólares".
¿Con 10 mil ganar un millón en un año?
"Exacto".
¿Cómo lo hiciste?
"Si juegas a 20x (apalancamiento que multiplica por 20 tu inversión) tienes un algo riesgo. Si el precio baja de un 5% tienes una alta probabilidad de que veas liquidada tu cuenta. Yo pensé que el bitcoin iba a ir hacia arriba y estaba convencido de que existen puntos de no retorno, precios donde el bitcoin no volverá jamás. Con estas premisas deduje que si lograba meterme en el mercado en un punto de no retorno con un fuerte apalancamiento podría lograr esta jugada. Hice un par de intentos fallidos y a la última entré más abajo de 16 mil dólares, esperé una de estas figuras de trading de acumulación y entré cauto con un 5x que aguanta una bajada del 20%. Tuve la suerte que, cuando bitcoin rompió el famoso máximo anterior alcanzado en 2017 de 20 mil dólares, empezó una carrera hacia arriba hasta tocar los 25 mil. Nunca más volvió al valor de mi entrada. De esta forma esperé que subiera más y más y en cada pequeña bajada añadía 25 mil dólares. Al principio era mucha la proporción de 25 mil sobre unos 50 mil dólares

que estaba invirtiendo, pero cuando llegué a invertir en total 100 mil, cada vez que añadía 25 mil ya no suponía un enorme cambio para el nivel del stop loss, que en mi caso se mantuvo en zonas donde nunca más volvió a estar el bitcoin".

¿Ahora dónde se encuentra tu stop loss?"

Ahora mismo mi stop loss está en 30 mil dólares. Subió porque meses después de mi entrada, Quantfury desbloqueó niveles más altos de apalancamiento. No me pude resistir y volví a cargar más en mi operación. Es un riesgo, porque el precio podría volver allí y en este caso perdería todo lo que estoy ganando".

¿Qué estrategia de salida te has planteado?

"Ahora según el gráfico del *stock to flow* del bitcoin debería llegar a rondar los 100 mil dólares y es probable que el *fomo*, la emoción del mercado pueda lanzarlo a los 150 mil dólares para luego retroceder con una fuerte caída. Tengo pensado anticiparme a todo esto y vender cuando esté a 80 mil. Mis ganancias superarían el millón antes de impuestos".

Entonces más que una cifra estás calculando el sentimiento del mercado para salirte antes.

"Esto es. Estoy bastante seguro que llegará a 100 mil, pero no me voy a arriesgar. Mi mujer me dice continuamente que cierre esta operación y cobre, pero yo quiero esperar un poco más porque tengo un plan. No cuento con este dinero, pero si me sale bien me cambia la vida laboral, no dependeré más del trabajo para mi independencia financiera".

Hablabas de impuestos.

"Sí, tengo calculado que una cuarta parte se iría con los impuestos".

¿No pensaste huir a las Bahamas?

"No, para nada. Cuando salió el tema de los youtubers me informé y vi que para el tema crypto hay gente que se va a Andorra, Portugal y sobre todo a Chipre y Georgia. Personalmente no me voy a mover de España y estaré muy feliz de contribuir estando aquí".

¿Cómo vives cuando de un día para otro estás ganando centenares de millares de euros?

"Antes estaba muy nervioso. Nunca pensé acabar haciendo trading y luego hay que admitir que pasé muchas noches sin dormir. Mucho estrés. Esto no me gustaba. Ahora ni lo miro y pienso que no lo tengo. Las emociones son importantes. Cuando tienes unas monedas y ves que suben mucho no quieres soltarlas y cuando bajan, que es un momento de compra, nosotros las vendemos. Son instintos humanos exactamente contrarios a lo que hay que hacer en el mercado".

¿Si por alguna razón perdieras esta operación?
"Lo tengo en cuenta, está calculado. Creo que tengo las mismas posibilidades de llevarlo a cabo como de perderlo. Vivimos una época muy loca. Ya estoy ganando mucho con la compraventa de monedas y las inversiones, pero tengo en cuenta que puedo perder el millón que me estoy ganando. Podría perderlo con una bajada del precio pero también podría tener un problema al momento de sacar de la aplicación toda esta cantidad de dinero. Espero que no haya trucos".
¿Cómo cambia tu vida con este nuevo capital?
"Pienso trabajar cada vez de forma más relajada y apostando por lo que me gusta de verdad. Ya estoy mucho tiempo con mis hijos, pero este dinero me permitirá organizar un futuro mejor también para ellos. Voy a hacer una wallet para ellos y estoy estudiando una opción a futuro, es un mecanismo de 'regalo a futuro' que desbloquea las monedas solo después de un determinado lapso de tiempo, lo leí en el libro 'El Patrón Bitcoin' de Saifedean Ammous".
¿La mejor cryptomoneda que compraste?
Las mejores fueron iota y ether que compré a 220 dólares, ya está a más de un x10. El Bnb de Binance también fue muy bien. Como especulación pura y dura me dio muchos beneficios la cryptomoneda Maineiborali, me dio un 320% en Daomaker[112]. Bitcoin es una apuesta segura, mientras las pequeñas son pura especulación. No es aconsejable invertir más de un 5% de tus fondos.
¿Crees en la revolución en acto? ¿Y tus amigos qué piensan de bitcoin?
"De momento creo que es la revolución de una minoría. A la mayoría le suena algo lejano, no saben lo que bitcoin es por culpa de la confusión generada por los medios de comunicación. Creen que es una burbuja, creen que sirve para el crimen o siguen con la historia de la electricidad. Es lo único que escuchan. Y lo poco que saben es solo de bitcoin. El otro día me paseaba con mis amigos economistas por el monte y les comenté que estaba ganando mucho dinero por si alguien quisiera invertir. Se me echaron al cuello ciegamente, no querían escuchar. Empezaron a contarme de los tulipanes de Holanda y argumentar que esta era una burbuja, un timo. Desistí, no quiero convencer a nadie, pero estoy seguro de que se equivocan. Personalmente creo que la Finanza descentralizada podrá ser muy útil también para países con una economía complicada. Mucha gente tendrá un beneficio enorme con esta nueva tecnología".

[112] Venture Capital Re-Created for the Masses - daomaker.com.

¿En el DeFi encontraste algo interesante?
"Creo que hay muchas oportunidades. Quien llega primero se aprovecha. Por ahora estoy llegando siempre después. Estoy muy interesado en el tema de adquirir token antes de que salgan al mercado. Todavía no logré comprar ninguno en Coinlist, que es la plataforma más sencilla. Te apuntas y por sorteo te dan la posibilidad de comprar 1000 dólares de token. Casper fue un caso, me apunté y acabé en la cola en la posición 300 mil. Cuando salió el precio había hecho un 100x. Si hubiese puesto mil dólares habría ganado 100 mil. En una etapa *bull run* todo va para arriba, pero cuando acabe entraremos en un largo invierno y hay que tener cuidado con lo que te quedas de monedas. En dos años volveremos a vivir una subida así".
¿Vas a seguir en el mundo crypto?
Hasta hace poco pensaba salirme durante dos años. Pero ahora creo que voy a seguir porque hay muchas cosas interesantes. Por ejemplo con mis bitcoin voy a venderlo de esta forma, voy a poner una orden automática de venta a 200 mil dólares. Si llega bien, si no llega esperaré la siguiente subida".
¿Dónde vendes?
"Ahora en Binance, antes utilizaba Coinbase. Pero estoy dado de alta en todas, como crypto.com, Bit2me y 2gether que son españolas, Kraken, para tener la opción de utilizar todas".
Bastian representa una historia real positiva y apasionante. Nunca hay que olvidar que las más frecuentes son las historias de fracasos estrepitosos.
Un *tweet* probablemente irónico lo resumía muy bien. "Hace 4 años me propuse como meta ganar un millón de dólares en cryptomonedas. Hoy le dije a mi esposa que finalmente puede dejar de hacer los pagos de la casa. Mañana iré a rehabilitación por adicción al juego y el banco vendrá a recuperar lo que es de ellos. No uses apalancamiento".
Hoy 19 de mayo se cerró el ciclo y con él la historia de Bastian. La victoria triste y tormentosa de la diosa Codicia ha vuelto a danzar con sus velos negros. Hoy bitcoin ha bajado cruzando la línea de los 30 mil dólares anulando la jugada maestra de Bastian Montoya. De 500 mil dólares a menos 12 mil. Un golpe que no quería documentar. Una pésima noticia. Un aprendizaje. Cuando los frutos maduros penden del árbol hay que recogerlos. Me lo marcaré a fuego para la gestión financiera de mi eventual futuro. Bastian lo sabía, que podía pasar y esta jugada era solo una más de sus aventuras e inversiones crypto. Continúa ganando bastante con sus inversiones en la CryptoJungla. Me habría

gustado cerrar su precioso testimonio, muy útil para la comprensión del sotobosque crypto, con un final feliz. Pero no. Una vez más, como en la vida, como en el cine, el giro narrativo nos carga las pilas para un nuevo imprevisible capítulo.

O LA WALLET O LA VIDA
Altcoin, Dex, Coordenadas necesarias

WALLET

El banco eres tú

Wallet. Por culpa de esta palabra, no experimenté una escalada millonaria. Vivimos en un mundo de ingenieros y al final de la primera década del siglo, comencé a darme cuenta de que sin tener independencia informática no habría ido a ninguna parte en la jungla. Con los movimientos del gato persa me lancé al medio de la foresta.
Empecé a frecuentar grupos de Wordpress. La escena siempre era esta, yo era el único humanista en medio de decenas de programadores. Gracias a esto supe algo que confirmaría varias veces más en mi vida. El modo de razonar de los programadores no toma en consideración la componente estrictamente humana de la misma forma que lo hace un humanista. El programador continúa resolviendo un problema tras otro. Es como entrar en el bosque con un machete. No sabes a dónde vas pero sigues abriéndote camino. Grandes cosas se alcanzaron gracias a ellos.
Pero debo admitir que mi impresión es que no tienen el don de la comunicación. Y la empatía no es exactamente su motor. Wordpress en ese momento era incomprensible al primer contacto, por ejemplo. Esta característica de no saber explicar bien las cosas tiene consecuencias diarias en la vida de todos. Lo que me pasó en 2011 lo atestigua.
Era una soleada mañana de abril y los tejados de Lavapiés se llenaron de rojo.
Las viejas tejas se veían ocasionalmente interrumpidas por los flamantes jarrones de flores y alguna vieja antena de televisión. El cielo de Madrid, como siempre era de un azul muy propio.

Estaba investigando sobre las *low cost* y algo me hizo encontrar una vez más la historia de bitcoin que se estaba afianzado. Había oído hablar de esta extraña moneda durante los últimos años. Pero como es imaginable, no tenía ni idea de qué era realmente. Solo sabía que era una revolución y que estaba creciendo. Después de investigar un poco llegué a la página de compra de bitcoin. Era una página en blanco muy poco atractiva con una imagen y un botón largo y estrecho.
Estaba listo para comprar.
Tarjeta de crédito en mano. Y ahí apareció la palabra wallet en mi vida por primera vez. Para comprar había que tener una "billetera". En 2011 estaba luchando con Wordpress, con html, pero no tenía idea de cómo funcionaba una billetera. Traté de entender las instrucciones indicadas con la proverbial comunicación digna del programador. No entendí nada. La vida me devolvió a la tierra y continué mi día de primavera sin bitcoin. Si hubiera comprado 50 dólares en bitcoin en abril de 2011, ahora tendría el equivalente a dos millones y medio de dólares en la famosa billetera.
La billetera es una herramienta fundamental en el mundo de las cryptomonedas. Porque se convierte en tu refugio. De repente, es lo inanimado más importante que debes proteger.
Elegir la billetera es el primer paso. Pero es bastante fácil porque hay cabezas de serie y son muchas. La decisión más importante está en el tipo de billetera. Existen varias, unas wallet desktop que se instalan en tu ordenador, otras wallet que son extensiones de Chrome, otras app para el móvil y que son las más cómodas y las wallet frías que son como extraños pendrive, más seguras porque las claves privadas no están constantemente conectadas a la red.
La wallet tiene una dirección específica es decir, un código alfanumérico muy largo, para recibir las cryptomonedas o enviarlas. Cuando quieras recibir, indica esta dirección al monedero que te los envía y en unos minutos tendrás las cryptomonedas en tu monedero virtual.
Estas direcciones son únicas para cada cryptomoneda. Nunca se debe cometer el error de enviar una cryptomoneda a una wallet no habilitada para recibirla, porque se corre el riesgo de perderla para siempre.
Las billeteras solo admiten ciertos tipos de monedas, así que hay que asegurarse de que sea adecuada para recibir las cryptomonedas que se han comprado.
Las direcciones se copian fácilmente a través del código QR. No es necesario anotarlas a mano. De hecho, se desaconseja encarecidamente

transcribirlas a mano para evitar errores. En las carteras puedes ver cuántas cryptomonedas tienes y su valor en *fiat*, principalmente euros o dólares.
Al momento de instalación las wallet proporcionan unas palabras clave. Pueden ser 12, 15, 24. Mayoritariamente son 12 palabras con un orden exacto. Suelen ser 24 en el caso de carteras "frías". Nunca debes escribir estas palabras en un ordenador, ni fotografiarlas. Tienes que escribirlas en una libreta. Una vez que hayas escrito las doce palabras con tranquilidad y con todo el tiempo necesario, debes hacer de inmediato una copia, paso que ya hemos visto al hablar de la primera compra en Coinbase.
No debes hacer más de una copia y debes esconderla en un lugar muy seguro. Hay quienes lo dejan en una caja de seguridad en un banco. Quien en casa de su madre o abuelo. Si pierdes las 12 palabras, no habrá otra forma de acceder a tus bitcoin. Los habrás perdido para siempre. Si alguien ha visto o accedido a las 12 palabras, puede acceder directamente a tus bitcoin y enviarlos a donde quiera. Los habrás perdido para siempre y nunca sabrás por qué.
Como primera billetera elegí Exodus. Por simplicidad. Tuve la oportunidad y necesitaba usarla más en el teléfono que en el ordenador. Elegir la billetera en el teléfono es lo más conveniente. Siempre tienes a mano para comprobar cómo van las cosas según el mercado, puedes mover los fondos con un clic o recibirlos. Solo tiene un problema, ya que permanece conectado durante todo el día, ofrece más posibilidades de ser pirateado. La seguridad es un asunto muy serio a nivel individual y colectivo.
Estamos en medio de una guerra cibernética[113]. Una guerra global que fue desencadenada por Estados Unidos usando un arma cibernética contra un país extranjero por primera vez. Contra Irán, que respondió rápidamente. Luego Corea, luego Rusia, que se entrometió en las elecciones ganadas por Trump. Todo comenzó con los "juegos olímpicos", nombre en clave, que jugaron Estados Unidos contra Irán. Unos ataques cibernéticos utilizando el virus Stuxnet[114]. "El virus tomó control de mil máquinas y les ordenó autodestruirse"[115] publicado por la

[113] "The Perfect Weapon", documental de John Maggio, 2020.

[114] Stuxnet es un gusano informático que afecta a equipos con Windows, descubierto en junio de 2010 por VirusBlockAda, una empresa de seguridad ubicada en Bielorrusia. Wikipedia.

[115] "El virus que tomó control de mil máquinas y les ordenó autodestruirse", 2015 bbc.com

Bbc, "En enero de 2010, los inspectores de la Agencia Internacional de Energía Atómica que visitaron una planta nuclear en Natanz, Irán, notaron con desconcierto que las centrifugadoras usadas para enriquecer uranium estaban fallando".
Este fue el primer ataque de Estados Unidos a un país extranjero[116] con armas cibernéticas. Obama lo lanzó usando un arma que había creado un grupo de trabajo israelí y estadounidense durante la presidencia de Bush. Por su parte, Irán demostró ser capaz de responder a un ciberataque dando un golpe particularmente sutil.
Sheldon Aldelson, un magnate de los casinos, fue víctima de la venganza iraní por decir públicamente que Estados Unidos estaba listo para lanzar una bomba atómica en el desierto iraní como advertencia y que la próxima podría ser la capital, Teherán. Los iraníes cegados por esta declaración respondieron haciendo explotar su negocio desde cero. Un ataque cibernético implosionó todo el imperio empresarial de Sheldon.
Hay un búnker debajo de las montañas suizas donde se esconden miles de millones de bitcoin[117]. Generadores subterráneos, puertas blindadas anti- atómicas, túneles a prueba de terremotos e inundaciones. El 10% del total de bitcoin parecería estar escondido allí, dentro de túneles que se ramifican en el corazón de las montañas suizas. Así lo atestigua Wencer Casares Ceo de Xapo.
Mervyn G. Maistry, fundador de Kintaro Capital, dice que según sus estudios, el mercado de cryptomonedas alcanzará los 8,7 billones de dólares, 50 veces su valor actual en 2027. Una opción global para escapar de tipos negativos, deudas, guerras comerciales y crisis económicas.
El mundo endulzado que creemos ver se filtra a través de las lentes del lugar de trabajo o se emite desde el rectángulo de un televisor, mientras la tecnología se ha apoderado de nosotros. Y nosotros de ella.
Somos cyborg o al menos tendremos que acostumbrarnos cada vez más a una nueva dimensión virtual, que superará a la material. Es probable que se produzca este cambio, porque ya tenemos muchos ejemplos reveladores. Las finanzas virtuales son un gran ejemplo. Incluso los ciberataques que logran causar daños irreparables a la maquinaria física lo son. Por ejemplo, el golpe bajo de Corea del Norte a la empresa Sony, culpable de haber producido una película que

---

[116] "Obama order sped Up Wave of Cyberattacks Against Iran", New YorkTimes.

[117] "Cryptopia" film documental por Torsten Hoffmann.

denigra al régimen. Entraron en su sistema informático, publicaron muchos documentos privados, correos electrónicos internos y lo hicieron colapsar por completo. Decenas de millones de daños físicos e incalculables daños a la imagen. Un incidente de seguridad internacional.

Los ataques son posibles. Si entramos en detalle, con lupa, estos ataques nos acompañan a diario. Cada comisaría del centro de una capital como Madrid recibe a diario decenas de denuncias por fraude telemático. En toda la ciudad, cientos de personas, amigos, vecinos, familiares son víctimas de fraude cibernético. La seguridad digital es una frontera que debe explorarse continuamente. Los nuevos ataques son capaces de destruir el mundo físico. Y robar. Las cryptomonedas son objetos preciosos y en la CryptoJungla deben protegerse con todo cuidado. El ejército de bitcoin parece seguir las reglas con gran disciplina porque cada error se paga irreversiblemente. No hay paracaídas.

Para proteger las cryptomonedas de los ataques, el medio más seguro es la billetera fría, entre las que destacan Trezor y el Ledger Nano S que son una especie de pendrive con una pequeña pantalla y dos botones microscópicos. Elegí el Ledger.

Esta billetera tiene el doble de palabras de seguridad, veinticuatro y estas contraseñas están ocultas dentro del pendrive, por lo que no están continuamente en línea, conectadas a la red, como ocurre con otros tipos de billeteras. Esta es la gran ventaja de seguridad.

Para mover cryptomonedas es necesario conectar el pendrive a tu ordenador y a internet. El resto del tiempo, desde la aplicación puedes ver cómo van los precios de tus cryptomonedas sin necesidad de conectar el pendrive.

Cuando tus contraseñas no están conectadas a Internet, están seguras.

Hay que prestar atención, el Ledger debe comprarse solo en los enlaces de la página oficial. Los enlaces de phishing proliferan y tienen el objetivo de engañarte para robar las crypto de tu wallet. Es obvio, pero no inútil decir que enviar a alguien tus claves secretas porque te las pide es un acto de insensatez. Pero pasa a menudo y es la gracia del phishing.

Seguí el consejo de Crypto Casey, quien recomendó enviar el Ledger a un apartado de correos, para evitar indicar tu dirección en las bases de datos del Ledger. La preocupación surge del hecho de que la base de datos de Ledger fue pirateada hace unos meses y los datos de los clientes acabaron en listas de correo y se hicieron públicos. Desde entonces, los intentos de phishing han aumentado exponencialmente.

Rapanui ha sido víctima de este hackeo. Los correos electrónicos que recibe son muy sofisticados y piden que ofrezcas información sensible para que puedan robarte. Tienes que prestar mucha atención porque es como vivir en un mar de piratas, donde si cometes un error nadie puede ayudarte.
Contraté un apartado de correos para que me entregaran el Ledger y la entrega en anonimato. La sorpresa fue que aquí en España la oficina de correos no puede recibir paquetes de otras empresas de mensajería. Así que el mensajero me llamó para averiguar dónde vivo y traerme el paquete. Para mantener la fe en mi anonimato, sugerí ir yo mismo a buscarlo. La indicación era "el estanco del centro del pueblo". Mi improvisada aventura de espionaje se estaba desmoronando.
Fui a recogerlo y la alegre señora me pidió la confirmación de mi nombre, gritando un inequívoco "Aquí en el paquete pone Ledger" en medio de algunos de los clientes que esperaban su turno. Efectivamente en la etiqueta ponía "Ledger" y se podía leer claramente. En definitiva, mi anonimato fue un éxito rotundo.
El anonimato en esta época es algo difícil de conseguir.
Existen también las wallet que son extensiones de Chrome, como Metamask, Solana wallet, Yoroi, por ejemplo. Con ellas está floreciendo una idea, que siempre tuve y me parece apasionante.
En el futuro todo el mundo tendrá una wallet abierta y conectada con Chrome u otro browser y todas las operaciones en la red podrán permitir pagos y micropagos de forma totalmente inmediata. Lees un artículo, pagas 0,0000001[118] ether, por ejemplo. Pequeñas cifras pagadas en innumerables token diferentes que recompensarán a los creadores o a los servicios, ofrecidos en Internet. También los contenidos intelectuales podrán tener una recompensa que por ahora Google, Facebook, Instagram no han otorgado a pesar de las toneladas de contenido que han hecho su fortuna. Será muy cómodo tener muchas monedas, y poder intercambiarlas con una facilidad que creará una nueva economía y una nueva manera de relacionarse, mucho más fluida, más descentralizada y menos feudal.

Dónde se compran las cryptomonedas. Dónde informarse.

Para empezar, elegí Coinbase, pero con el paso del tiempo la compra y el intercambio de cryptomonedas descubrí ser posible en muchas

[118] Cifra inventada.

plataformas diferentes. Poloniex, Hotbit, Okex, Gate.io, Binance, Crypto.com, Uniswap, Sushiswap, Cakeswap son algunas de las muchas opciones. "La más rápida es Hotbit, pero no dejes allí tus token", palabra del gurú.

Por un lado están los *exchange* donde se puede comprar directamente con *fiat*, por otro lado están los "swaps". Uniswap, Sushiswap, Cakeswap, Radyum swap, son las verdaderas expresiones de las finanzas descentralizadas, como veremos en breve.

Para informarme sigo a muchos gurú en Youtube como Trading Latino, que entre virtudes y defectos, tiene su propia idea del trading, muy práctica y en ocasiones poco transparente. Oscilo entre confianza y no confianza todo el tiempo. Bitcoin Sin Fronteras es transparente en sus intenciones pero no entendí su estrategia hasta el fondo. La diferencia con Trading Latino que invierte en operaciones cortas es que Jose Mazzucco, este es su nombre real, invierte en operaciones de pocos días. La información que ambos ofrecen es extremadamente útil en el análisis de noticias, de bitcoin y altcoin. Ivan on Tech es una verdadera institución. Una visión brillante que siempre es bueno tener en cuenta incluso para comprar altcoin. Crypto Casey también es una institución y sus análisis semanales son útiles para hacerse una idea no solo del trading, sino sobre todo de cómo invertir en productos DeFi. Algunas noticias interesantes también vienen de Bitcoin al Día. Recientemente he seguido a Chico Crypto, un tipo excéntrico, pero con noticias interesantes sobre temas que no son fáciles de encontrar. David Battaglia, Tiziano Tridico, Fun on the Ride, son solo algunas de las fuentes de información cotidianas. Para hacerse una idea de cómo van las cryptomonedas y para elegir dónde invertir es necesario un estudio diario. Una ronda de noticias financieras es imprescindible. Para ver la capitalización de mercado y la rentabilidad de las monedas, todos van a Coingecko.com. Es una buena idea darse una vuelta cotidiana y escuchar en Youtube los canales de Data Dash, Crypto Lark, Crypto Daily, Chriss Dunn, They Call Me Dan, solo por citar algunos. En cuanto a noticias, el periódico número uno es Cointelegraph, me gusta mucho CryptoPanic, una aplicación que recopila las mejores noticias y muestra las fuentes. BitcoinTalk.org es el foro más grande dedicado a bitcoin. El boletín Tradingview me ha dado buenos análisis del mercado, muchos de TraderRuarte.

Criptotendencia.com, Criptoninjas.net, theBlockCrypto.com, Diariobitcoin, son algunas de las fuentes que sigo constantemente.

Tremendo trabajo en España del ObservatorioBlockchain.com, dirigido y fundado por la periodista incansable Covadonga Fernández.

Dex, exchange descentralizados

Hace unos días el mar de Mallorca brindaba reflejos brillantes. La costa, pacífica recibía las olas que hablaban tranquilamente de su pasado. En el horizonte la isla de Cabrera. El calor de la primavera permitía la perfecta metabolización de la vitamina D. Los ciclistas pasaban enfundados en sus monos de color. Algún motero se paraba para gozar de su merecida recompensa. Allí estaba sentado con Anna Sconcerti, una amiga inversora *off shore* completamente inmersa en CryptoJungla. Me contó sus últimas deducciones basadas en sus experiencias recientes.

Para entender sus experiencias es importante entender qué son los Dex, y las tres realidades, Uniswap, Pancakeswap y Sushiswap. Junto a ellos existen dos palabras estrella en la CryptoJungla, staking y farming. Las dos representan maneras de ganar crypto de manera pasiva, aportando a la comunidad y manteniendo a cambio una recompensa. En el farming ofreces tus cryptomonedas en uno de estos mercados Dex que funcionan con *pools* de liquidez, reservas aportadas por el pueblo crypto. Cada Dex recompensa de una manera distinta.

El staking es una nueva forma de minería. Hemos visto cómo la minería otorgaba una recompensa a los mineros a cambio de un *proof of work*, un cálculo computacional muy complejo. Este sistema de "resolver-bloques" no es muy eficiente energéticamente. Con el nuevo método de *proof of staking*, que vimos también anteriormente en este libro, los mineros que más liquidez tienen en staking son los que mayores probabilidades tienen de resolver el bloque y por tanto, de recibir recompensa.

Puedes hacer staking de tus cryptos. Las dejas bloqueadas en alguna de esas plataformas, ellos las usan para esta nueva forma de minado, a cambio te recompensan con esa misma crypto añadiendo un porcentaje determinado. Es lo que hace por ejemplo BlockFi. Si pones tus *stablecoin* busd, el dólar de Binance, recibes a cambio un 9%. Si pones en staking bitcoin recibes un 5%. Es una moderna cuenta de ahorro.

"Me parece interesante el esquema que comenta la Crypto Casey" me decía Anna con su café cortado, "Ella invierte 10 mil dólares y busca altcoin que suben multiplicando su valor por dos, por tres. De las

ganancias, 20 mil los reutiliza para reinvertir, mientras el restante lo deja allí sin tocar para ver si esa altcoin se convierte en un *hit*. Los 20 mil dólares no los lleva a su cuenta, 10 mil los invierte siempre en ether, la Casey cree mucho en Ethereum, mientras los restantes 10 mil los vuelve a invertir en otras altcoin" y sigue Anna, "Estoy explorando las oportunidades de finanza descentralizada. La Casey siempre habla de que ella ya no hace trading como en Quantfury, porque las mejores ocasiones son en el DeFi, además con un riesgo mucho más bajo. Acabo de poner 10 mil dólares convertidos en Usdt, o sea el dólar de Tether, en la plataforma de staking BlockFi. Me dan un 9% anual. Cada mes me pagan la fracción correspondiente y puedo quitarlos de allí cuando quiero".
Esto es parecido a los depósitos tradicionales.
"Sí, pero hay una gran diferencia" me explica Anna "En esto consiste el progreso del DeFi. Los inversores ponen su dinero donde de verdad creen que hay una oportunidad de beneficios pero también invierten en proyectos, no solo en las cryptomonedas que lo acompañan. Esto significa un avance importante porque antes el banco gestionaba tus fondos sin comunicarte en qué, solo te garantizaba tus beneficios. Además lo tenías que dejar en deposito mínimo un año. Y hace tres años un depósito de Santander que compré me daba un 1,8%, que era considerado excepcional. Ahora con DeFi la rentabilidad es muy alta y no me arriesgo a que mi dinero invertido pueda ser utilizado para lograr la rentabilidad del banco en proyectos para mi antiéticos. A lo mejor estoy contribuyendo indirectamente al desahucio de unos ancianos o estoy financiando una nueva central nuclear contraria a mi ideología. Con los bancos normales no lo ibas a saber. Con el DeFi, si hago staking sé en qué invierte la plataforma mis fondos y para qué los utiliza. En algunas plataformas como Uniswap se llega más lejos. Si pones tu capital para staking o para farming puedes acceder también a ser propietario de los token que, a parte de su valor, te permiten votar para el futuro de la plataforma. Es como si votaras sobre el funcionamiento del banco descentralizado" cuenta Anna.
Es muy interesante cómo una comunidad de jóvenes brillantes haya creado sin pedir permiso a nadie y sin necesidad de ayuda de ningún banco o ningún gobierno un sistema descentralizado y con código abierto, como vimos en todo el desarrollo del libro, donde no existe un ente central que toma decisiones para la comunidad, sino que todo el mundo puede colaborar, invertir, ganar dinero y perderlo sin barrera de entrada. Es realmente esto el *core business*, el concepto importante

de esta revolución. La comunidad misma va adelante por consenso. Las decisiones importantes las vota toda la comunidad que posee los token del proyecto. En Uniswap, por ejemplo, puedes ver el calendario de las decisiones que hay que votar[119]. De esta forma el mercado se desarrolla de forma orgánica según las necesidades de todos.

Como comenté anteriormente, tomando también en cuenta un sabio razonamiento del periodista Iñaki Gabilondo, nos han acribillado con el tema del comunismo en los últimos 20 años, planteando todo lo que es colectivo como una forma de comunismo pernicioso y oscurantista. Esta es la respuesta de la plaza, de la gente. Nada de comunismo, es capitalismo al estado más puro, es un destilado de capitalismo que se mezcla con la tecnología más puntera. Y, a pesar de los razonamientos feudales y centralistas, está soberanamente creciendo con la colaboración de todo el mundo. Literalmente detrás de estos mercados está la colectividad mundial, que pica código, que toma decisiones y que mueve una montaña de dinero. Todo esto en la más total libertad, sin control autoritario.

El feudo y el control total como concepto necesitan una revisión colectiva.

Por ineficiencia, no por rebeldía. Colectivamente debemos tomar las decisiones más oportunas para el progreso y no aferrarnos a viejos conceptos solo por mantener algún privilegio periférico y contraproducente.

La evidencia nos pone frente a un mundo nuevo desarrollado por esta generación, de una forma muy diferente que las anteriores. Y muy eficaz.

Hay que decir también que los gobiernos ya poco pueden hacer, aunque quisieran, para parar este tsunami que seguirá a prescindir de todo.

Si alguien tuviese la malsana idea de tumbar este fenómeno debería oscurar Internet y todo su ejército informático. Es mucha gente, hay mucho dinero, hay mucho *know how* detrás. Veo complicado callar la comunidad más rica del mundo, la comunidad de internet.

El verdadero Estado global está fuera de los palacios y se encuentra en la casa y en el bolsillo de un amplio porcentaje de seres humanos. Con Internet satelital como vimos, la comunidad de Internet aumentará. Cuando las personas pueden compartir información, pueden ver lo

[119] app.uniswap.org/#/vote

que pasa por el mundo, cuando se pueden unir sin recorrer miles de quilómetros, el resultado es un progreso.
Anna siguió bajo el sol contándome sus aventuras financieras. "En Uniswap, Sushiswap o Pancakeswap puedes hacer trading en la plataforma de activos digitales, pero no hay ningún libro de órdenes que te empareje con otra persona, sino que se 'tradea' contra una reserva de liquidez, que llaman *liquidity pools"* me cuenta Anna, que continúa "Estas reservas o *pools* son el fruto de la colaboración de la comunidad, en concreto son otros usuarios que han decidido poner sus cryptomonedas a disposición de la plataforma. A cambio reciben token de proveedor de liquidez llamados Lp. PancakeSwap, por ejemplo, te permite hacer farming de su token de gobernanza Cake. Esto quiere decir que si pones tus token Lp se bloquean y a cambio recibes el token Cake. Con este token Cake puedes hacer staking en la reserva que una vez más está dedicada a la comida que se llama Syrup" concluye Anna. La lógica es que si aportas a la comunidad tienes muchas ocasiones de revalorizar tu capital. Y la comunidad te lo reconoce. De esta forma aumenta también la participación y la confianza.
Los depositantes pueden utilizar estos token para reclamar su participación, más una porción de las comisiones de trading, los llamados *trading fees.* "Hice farming en Pancakewap con el par de monedas btc/vet[120] y he cedido unos fondos en estas dos monedas a la plataforma. El *marketplace* gracias a estas aportaciones tendrá liquidez para completar las compraventas de quienes quieran intercambiar estas dos monedas. A cambio he recibido un interés y unos token de la misma plataforma. Estos token son los btcvet lp, *liquidity provider.* Desde este momento soy un *liquidity provider* y si quiero puedo hacer staking con estos token para recibir una ulterior recompensa y, aparte, podré votar para las decisiones de la comunidad. Con esta liquidez la comunidad también puede continuar generando valor con su continuo desarrollo informático y estratégico", concluye Anna.
Es fascinante el cambio copernicano en el crecimiento de una comunidad financiera mundial descentralizada. Una red de colaboración que se desarrolla por voluntad espontánea de millones de personas.
Un punto que me parece importante subrayar. Todo esto es muy sencillo para los que tienen una cierta mentalidad y un conocimiento

[120] Bitcoin contra veChain

de lenguajes que para la mayor parte de la población son incomprensibles. Percibo continuamente un desequilibrio entre la brillantez computacional y estratégica ***versus*** la capacidad de comunicar. Los programadores, los ***geeks*** tienen la parte del cerebro destinada a la comunicación completamente atrofiada[121].

Sin una traducción en lenguaje corriente de lo que pone en las web de estos mercados como Uniswap, Sushiswap o Pancakeswap sería para mí muy complicado entender de qué se trata. Esto obviamente crea una barrera de entrada para mucha gente. Y reduce esta jugosa atractiva posibilidad de gozar de oportunidades financieras solamente a los duchos en programación, ingenieros & cía.

Otro punto que me llama la atención es que los cerebritos del código incomprensible ya dominan el mundo. Antes los programadores trabajaban para otros, para jefes, para empresas, estaban al servicio de alguien y seguían sus directrices. Ahora son halcones sueltos, son águilas reales en el cielo de nuestro desarrollo colectivo. La parte positiva es que vamos a toda velocidad hacia algo que cerebralmente funciona mejor, pero la falta de variedad humana en la toma de decisiones puede ser un grave error. Un mundo dirigido por cerebritos que hablan un idioma incomprensible puede ser un problema. Sería preferible que se viera reflejada en nuestro futuro una poliédrica representación de diferentes tipos de inteligencia. No solo la matemático-racional.

Por ahora quien ha ideado y construido este nuevo sistema, juega con ventaja y goza de él con preferencia sobre todos los demás. Y todo esto es muy nuevo y muy potente.

La plataforma Uniswap[122] se lanzó en el extendido cielo de la blockchain tan solo en noviembre de 2018, como *automated market makers, amm*, y en sus actualizaciones ha crecido rápidamente al punto de tocar los 135 mil millones de dólares en volumen de intercambios, posicionándose como uno de los más grandes *exchange* del mundo. Su objetivo es facilitar el intercambio de token entre inversores de todo el mundo. Todo está basado en contratos inteligentes, smart contract, que funcionan con el control descentralizado de todos los programadores de la comunidad misma. Las decisiones se toman por voto de la comunidad, sin necesidad de un filtro centralizado. Por esto se llaman Dex, *decentralizad exchange*, sin intermediarios y sin order book

[121] Estoy ironizando.

[122] uniswap.org

controlados por la compañía de *exchange* como Binance o Coinbase que son por definición centralizados.
En este mercado todo el mundo puede acceder en total anonimato.
El usuario que contribuye a un *pool* haciendo farming recibe a cambio un token con el porcentaje de su contribución. Hacer farming ofrece buenos rendimientos y el inconveniente del *impermanent loss* que se produce cuando el precio de tus token cambia respecto al momento en que los depositaste en la *pool*. Cuanto mayor sea este cambio, más grande será la posible pérdida[123].
El precio de los token en un *exchange* centralizado lo determina el order book, el comprador más caro y vendedor más barato. En Uniswap y los Dex lo determina un algoritmo matemático, en función de lo que haya en el *pool*[124].
Para entender lo competitivo, de pura matriz capitalista, que es todo esto es suficiente mirar a la historia de estas afortunadas plataformas. Empezó Uniswap sobre Ethereum. De allí hubo un cisma, un *fork*, de Uniswap, se hizo una reproducción en copia del código abierto de Uniswap por parte de un personaje de la CryptoJungla, Chef Nomi. Se le conoce solo así, por su pseudónimo.
El Chef copió el código de Uniswap y creó su propia red Sushiswap y con suculentas ofertas en token sushi para "robar" usuarios de Uniswap.
El señor Chef una vez lanzada la plataforma presumiblemente vendió sus sushis unos días después del estreno propiciando una típica caída del precio en los proyectos nuevos.
El Chef de alguna forma pidió disculpa y fue perdonado por la comunidad.

¿Cómo se usa en concreto un Dex, por ejemplo Uniswap?

Entras en la página y te conectas con la wallet MetaMask, WalletConnect, Coinbase Wallet, Fortmatic o Portis. Metamask es una extensión de Chrome y se activa solo con un click.
Necesitas cryptomonedas ether para pagar los gastos, llamados *gas fee*. Y ya puedes buscar algo para comprar o para vender, después de haberte informado muy bien sobre lo que tiene valor y lo que no.

---

[123] "Guía sobre Impermanent Loss" academy.binance.com.

[124] Rapanui me explica que "puede variar durante un trade si el trade es grande, pues depende de mantener una constante, x*y=k". Yo no lo entiendo pero vosotros espero que sí.

En estas plataformas es muy fácil añadir nuevos token y es gratis meter en el mercado tu propia moneda. Es un mercado enorme, colectivo y non-profit[125]. Por esto es imprescindible tener un conocimiento profundo de lo que se compra, porque también hay muchas *shitcoin*[126], como los suele llamar la comunidad de la CrytpoJungla de una forma muy elocuente.
Pancakeswap tiene un nombre muy de desayuno. La página web no parece esconder las fortunas financieras de una generación, sino aparece como un lugar amigable con las típicas tortitas que vuelan sobre los áridos porcentajes de ganancia y las casillas de cryptomonedas.
Es aún más joven que Uniswap, ha nacido en septiembre 2020, tiene pocos meses y se mueve en la blockchain de Binance Bep-20 que es menos cara en términos de *fees*. También en esta red puedes intercambiar monedas, aportar liquidez y ganar recompensas haciendo farming.
Cuando aportas liquidez a cambio recibes los token lp. Si "farmeas" tus token Lp en reservas de Syrup te recompensan con porcentajes astronómicos de 200-300%. La cryptomoneda Cake por ahora tiene buenas expectativas de valoración.
En este *marketplace* encuentras hasta lotería Pancake Swap, pagas boletos con Cake y entras en una lotería al uso. Para completar el parque de juegos hay gamificación. Creas un perfil, te unes a equipos y compites por logros. Me parece una buena manera para quitar la rigidez al ambiente financiero. Aquí entre colorines y juegos te puedes adentrar en tu libertad e independencia financiera hasta divirtiéndote. Hasta que no se traduzca en tragedia.
Para entrar en Pancakeswap se necesita una wallet entre TrustWallet, MathWallet, TokenPocket, WalletConnect, Binance Chain Wallet, SafePal Wallet. También te permite usar MetaMask, aunque esta sea una wallet de Ethereum[127].
Cada transacción tiene un *fee* que se paga con Bnb, el token de Binance. Las *fee* del blockchain de Binance son infinitamente más bajas con respecto a la blockchain de Ethereum. Por eso la competición

---

125 Para informaciones prácticas: www.coindesk.com/what-is-uniswap-complete- guide - academy.binance.com/es/articles/what-is-uniswap-and-how-does-it-work.

126 Monedas que no valen nada, que son una estafa.

127 Hay un procedimiento para conectarla a Binance Smart Chain

entre estas dos cadenas de bloques está entrando en su momento álgido. Por una parte Ethereum que es la segunda blockchain después de Bitcoin, la más utilizada para todo tipo de aplicaciones. Pero su sistema prevé unos gastos de funcionamiento muy altos. Demasiado altos. Cada operación tiene *fees* realmente exorbitantes. Subes una foto, 100 dólares. Cambias un nombre, 30 dólares. Te compras un dominio en Ethereum, 70 dólares. Por esta razón la comunidad crypto se está pasando a la red Binance, mucho más barata. Por esta misma razón la cryptomoneda de Binance, bnb, está creciendo como la espuma y tiene un futuro muy prometedor.
Hay que decir que la última actualización de Ethereum llamada Berlín ha atraído a muchas aplicaciones y nuevas funcionalidades que aumentan la confianza en esta red de bloques. En estos días de principio de mayo 2021 ether ha llegado a su máximo histórico, justo en los días en que bitcoin ha perdido fuerza.
Ethereum es una institución en la CryptoJungla, es una blockchain ideada por un joven aún con acné Vitalik Buterin, que empezó a trabajar con Bitcoin como programador a los 17 años, en 2011. Buterin vio las deficiencias que tenía Bitcoin y creó Ethereum como una tecnología blockchain superior[128]. El punto crítico de Ethereum será en el verano 2021. Se espera una actualización, llamada Londres que debería resolver el problema de los costes altos de los *gas fee*, las recompensas que se otorgan a los mineros para su labor. Esta reforma se anuncia desde hace mucho tiempo y ya ha decepcionado en varias ocasiones por no haberse concretizado. Si Ethereum falla otra vez, Binance y los otros *competitors* estarán listos para el asalto final.
Es importante la confianza en el entorno descentralizado y global de la blockchain. Así para garantizar su calidad las plataformas descentralizadas están auditadas por reguladores reconocidos por el sotobosque crypto.
Pancake fue auditado por Certik. Uniswap fue auditado por Consensys Diligence[129]. Sushiswap al parecer nunca fue auditado.
Hay empresas que se ocupan de auditar los contratos inteligentes y las redes como HashEx[130], CoinFabrik, Smart Contract Audit, entre

[128] "Historia de Ethereum", stormgain.com.

[129] certik.org; consensys.net.

[130] hashex.org, coinfabrik.com, smartcontractaudits.com.

muchos otros. De esta forma un sello de calidad permite certificar los procesos y aumenta la fiabilidad de los inversores.
Un amigo, Carlos, nos indicó un nuevo camino muy interesante para encontrar un caballo eventualmente ganador antes de que se haga "famoso". Una nueva blockchain al parecer está prometiendo un futuro interesante. Se llama Solana. Su moneda es sol. Solana tiene un *exchange* que se basa en su blockchain Radyium, es un Dex, y permite hacer trading, hacer intercambio o sea swap, farming, staking. Una posibilidad múltiple de inversión. El token del *exchange* se llama ray. Carlos quiere ser pionero en tener ray, sol y se dio cuenta que el *exchange* ha abierto ya la posibilidad de invertir. Las blockchain y los *exchange* siempre necesitan el apoyo de la comunidad en términos de liquidez. Para atraer liquidez ofrecen a cambio intereses y token de recompensa muy ventajosos.
Cómo lo hicimos es interesante, pero también muy técnico. Si no quieres entrar en detalle, puedes "taparte la nariz"[131] o saltarte estos párrafos.
Lo primero es abrir una nueva wallet. Me empiezo a dar cuenta que me cuesta recordar cuántas wallet tengo y cuáles son. Empecé con una, luego el Ledger, y ya van dos, luego crypto.com, luego Binance, para luego darme cuenta que es necesario algo como Metamask, pero algunas crypto se encuentran solo en ada, entonces tuve que abrir un account en el wallet Yoroi. Hoy vamos a por la séptima, la Solana wallet. Cada una tiene password y medidas de seguridad, palabras de seguridad, sistemas de autenticación con códigos en tiempos limitados. Cada vez se complica más la cuestión. Y me doy cuenta de la importancia de tener todo ordenado y con una Excel muy actualizada. El riesgo es perder el control de manera absoluta. También porque con el pasar de los días las operaciones aumentan, los detalles aumentan, las oportunidades aumentan. Y ya una brújula no es suficiente para moverse en la CryptoJungla. Ya necesito un gps.
Volviendo a esta nueva oportunidad, la idea era comprar la crypto sol, para luego comprar ray y dejar en las cajas fuertes virtuales del *exchange* una pareja de monedas ray/usdt[132]. Esto quiere decir que la plataforma con esta liquidez podrá garantizar los intercambios de las crypto usdt y de ray. A cambio hemos recibido una moneda llamada lp. Todas las monedas con esta desinencia "lp" implican liquidity provider.

[131] Dicho italiano.

[132] El dólar *stablecoin*, conocido como Theter. Lo vimos a principio de este libro.

Siendo un generoso componente de la comunidad a cambio tienes esta recompensa. Con esos token, que en concreto eran "ray/usdt lp" hemos podido hacer staking, o sea depositar esta moneda para recibir un interés del 118%. La esperanza es que la blockchain en cuestión florezca y se haga muy fuerte, que su *exchange* se haga fuerte y que su moneda se revalorice de un x10, x20, x100, x1000. Si esto pasa habrá sido una inversión que nos hará muy felices. Si no pasa habrás perdido todo o parte de tu inversión.

Kantfish.eth

En las peripecias de la CryptoJungla me encontré con la posibilidad de registrar mi dominio en la blockchain de Ethereum. No podía perderme la ocasión.
Cuando costaban pocos céntimos muchos inversores se pasaron horas y horas registrando dominios de grandes empresas o personajes famosos. Porque como cualquier otro token, podría ser muy valioso en el futuro próximo, o sea, podría ser un valor intercambiable muy bueno para especular abriendo la posibilidad de una reventa ventajosa.
Con un gasto exorbitante de 70 dólares pagados en ether a través de la wallet Metamask, ahora tengo mi dominio en la cadena de bloques de Ethereum. Lo compré como si fuera un dominio de internet, pero funciona solo en esta red de bloques.
¿Para qué sirve? Podrá ser útil en el futuro o por lo menos eso espero. Por ahora la aplicación clara es poder indicar solo este fácil dominio para que alguien envíe bitcoin, ether, ada o vet a mi wallet.
Por ejemplo, si quieres contribuir a mi misión de informar sobre la CryptoJungla podrías enviar bitcoin o ether solo tecleando kantfish.eth en la wallet de Metamask. No será entonces necesario copiar el larguísimo código que está asociado a mi wallet personal. Con este sistema llamado Ens, Ethereum Name Services, será mucho más fácil enviar dinero.
Un particular o una empresa puede compartir el dominio 'nombre.eth' en lugar de la dirección '0x4abe5tjssaieOH8755 ...'. Es más fácil de recordar y más sencillo de manejar.
Los Ens son *non fungible token, nft* y consecuentemente permiten interactuar con contratos inteligentes, al igual que permite asociarlo a una dirección pública.
De momento los dominios .eth solo son accesibles a través de navegadores del tipo Tor. No obstante, es una tecnología nueva y en

expansión y, puede que, en un futuro cercano resuelvan Dns convencionales y legibles por cualquier navegador. Dicho de otra forma, puede que en un navegador como Chrome o Safari me sirva este dominio en un próximo futuro.

ALTCOIN
Cómo apostar por el caballo ganador

Cuando cae bitcoin, el terremoto sacude toda la CryptoJungla y todas las altcoin.
Bitcoin es el rey de la CryptoJungla. Su rugido se oye en cada rincón. Detrás de cada árbol. Su dominio en capitalización de mercado sobre el resto de las altcoin rondaba los 65-70% en 2019 y 2020, cayendo ahora en mayo del 2021 a mínimos del 45%.
Esta métrica de *dominance* es clave porque muestra dónde se centra la atención del capital. Más baja es la *dominance*, más será la atención de los inversores en el mercado de las altcoin. Dicho de otra forma, si la *dominance* es baja significa que el capital se fue de bitcoin y se puso en las altcoin.
Las primeras dos cryptomonedas son bitcoin y ether. La primera con una capitalización de mercado de mil millones de dólares, seguida por ether con 354 millones de dólares. Estas juegan una liga aparte, por ahora, y en las últimas semanas de abril y en mayo 2021 ether se desvinculó bastante de la incertidumbre de bitcoin, yendo a explorar sus máximos históricos y superando los 3 mil dólares de valor. Desde la tercera moneda en adelante se llaman altcoin y representan "las otras cryptomonedas".
El capital se mueve de bitcoin a las altcoin cuando el rey de la CryptoJungla sube muy lentamente o se marea "rangueando", o sea quedándose a un nivel de precio durante mucho tiempo sin bajar o subir con fuerza. Lateralizando, se dice. El inversor hambriento de ocasiones, en este punto muerto mueve su capital a las altcoin buscando ganancias mayores y más rápidas. Las altcoin en ese momento se animan y arrancan subidas fuertes ante tal demanda, en lo que se conoce como *altseason*.

Cuando bitcoin se vuelve a despertar y empieza a subir muy rápido los inversores regresan a su mercado, provocando caídas fuertes en las altcoin. La capitalización de mercado define cuáles son las top10, top20, top100 cryptomonedas[133].
Las top10 son fieles a los movimientos del rey. Si sube bitcoin ellas le siguen. Y si baja o lateraliza, también.
Las monedas que esconden grandes sorpresas, las mejores sorpresas, y que pueden generar beneficios del x5, x10, x20 son cryptomonedas, con una capitalización de mercado más pequeña, normalmente fuera de las top100. El trader trata de predecir en todo momento dónde va a ir la demanda y anticiparse a ello. El reto es descubrir cuál será el próximo caballo ganador. En general la estrategia de entrada y salida de las altcoin no es fácil. Para encontrar el momento correcto cuando vender o cuando invertir en una altcoin "pequeña" hay una especie de hoja de ruta que seguir.
Se puede resumir así, en siete pasos.
Uno. En coinmarketcap.com se filtran las crypto que tienen entre 5 y 20 millones de capitalización. O sea las pequeñas, pero no demasiado pequeñas.
Dos. Para entender si llega el momento de la subida del precio de una cryptomoneda se analiza el gráfico de esta cryptomoneda contra bitcoin[134].
Tres. En coingecko.com se analiza el volumen para confirmar que no está muerta y que efectivamente hay interés o sea intercambio, si hay compra- venta relevante. Hay que buscar la manera de saber si el volumen es real o es el fruto del trabajo de bots. El *washtrading*, así se llama esta práctica poco ortodoxa, se puede verificar con métodos detallados en muchos vídeos de youtube.
Cuatro. La cryptomoneda tiene que estar presente en varios *exchange*. Si se encuentra solo en uno o dos, es un riesgo muy alto invertir en ella.
Cinco. Verificar si es un proyecto atractivo que resuelve problemas reales. Estudiar el *white paper* es el primer paso, luego hay que visitar la web, saber algo del team del proyecto, leer el *roadmap*, ver si las redes sociales como Discord, Twitter, Telegram están activas y con contenido actualizado. También se estudia si ha sido auditada y por quién. El

[133] Este dato se puede consultar en coinmarketcap.com

[134] Normalmente los análisis como vimos son contra una *stablecoin*, generalmente Usdt. En este caso se pone en tradingview el gráfico de la cryptomoneda contra bitcoin. Ejemplo vet/btc, 1inch/btc, eos/btc etc.

estudio de una cryptomoneda puede llegar a ser con lupa y hay quien antes de invertir investiga su código abierto en GitHub donde se deposita el código fuente de blockchain.
Seis. Se mira cuáles son los eventos próximos. Si hay próximamente lanzamientos, hitos del desarrollo, novedades que puedan hacer explotar el precio. El momento de las actualizaciones siempre está acompañado por un cierto entusiasmo en el mercado. En coinmarketcap.com/es/events se puede consultar el calendario de los eventos anunciados.
Siete. Otros detalles que definen si una crypto puede ir muy bien son por ejemplo, la participación de la comunidad en su *governance*, la posibilidad de hacer staking con esta cryptomoneda, la verificación en el gráfico si ya ha tocado su máximo histórico, ver si los *competitors* tienen mucho *marketcap*, porque esto significa que el mercado donde se mueven es florido y la crypto que nos interesa en el futuro podría tener la misma performance de sus competidores.
Los trader empiezan todos por invertir en bitcoin. Solo luego se abren a las altcoin. En la experiencia de muchos en una cryptocartera hay una veintena de crypto y la división puede ser esta, por ejemplo. El 50% en bitcoin, el 25% en algunas altcoin top10, un 15% en cryptomonedas top50, un 5% en crypto top100 y un 5% en las arriesgadas y rentables llamadas *moonshot*, las que si todo va bien te llevan en órbita.
Un youtuber, JrnyCrypto, especialista en altcoin indicaba el esquema que utiliza con sus inversiones en cryptomonedas. Siempre se acuerda de recuperar como primer paso su inversión, así saca periódicamente beneficios y los reinvierte en otras altcoin. Si una altcoin ha llegado a x5 saca su inversión inicial, el resto lo deja y luego va quitando beneficios con el tiempo, poco a poco. JrnyCrypto mantiene las altcoin en su cartera dependiendo del proyecto que está detrás, si hay interés las mantiene si no las vende. Y, punto importante, gestiona todo con una Excel.
En la primavera 2021 se está abriendo una *altseason*, un momento óptimo para invertir en las pequeñas o medianas cryptomonedas. Hay un remolino de nombres que recurren. Entre las más cotizadas y que más he oído nombrar hay polkadot, chainlink, iota, xrp, tron muy amada por el Trader Latino, eos, xmr, litecoin, theta, ada, matic, ramp, ern, btt.
Para encontrar las mejores crypto una buena ayuda llega desde los grupos privados de los gurú en Telegram.

Hoy mientras desayunaba al sol, después de una larga noche de estudio, me llegó un mensaje.
Compra Livepeer: Lpt/Usdt Compra para Hold.
Compra por debajo de: 32$.
No destinar más del 5% de tu capital a esta moneda.
El mensaje escueto significa que compres lpt asociado al valor del dólar Thether. Deberías comprarla para mantenerla en tu cartera, no para vender en breve y deberías hacerlo antes de que llegue al valor de 32$. De todo el budget que estás destinando a la inversión esta cryptomoneda debería representar el 5% del total.
Compré livepeer en Uniswap, para hold utilizando la wallet Metamask cambiándolo por ether[135]. Esta crypto no se encuentra en Binance, es una de las pequeñas, se puede comprar también en los *exchange* Poloniex, Hotbit, Okex, Gate.io.
Lpt en unas semanas debería doblar su valor. Es una de las ventajas que brinda la *altseason*. Pero también nunca sabes cuándo va a bajar de golpe el valor de una pequeña crypto y a lo mejor para siempre.
También hay que tener cuidado con los youtuber con respeto a las altcoin. Un *tweet* brillante[136] resumió la dinámica habitual en el sotobosque de las cryptomonedas, advirtiendo que con las pequeñas hay que tener mucho cuidado.
Decía esto, parafraseando un "no te dejes engañar". "¡Despierta! Todo youtuber está haciendo esto ...
1 Una empresa paga al youtuber por la revisión de su moneda .
2 El youtuber compra la moneda.
3 El youtuber publica y difunde su reseña sobre la moneda en cuestión .
4 La moneda da un salto adelante asombroso.
5 El youtuber y la empresa venden todo y lo tiran a la basura .
6 El youtuber y la empresa han ganado dinero.
7 Tú pierdes tu dinero".

Altseason

Comprender las *altseason* significa dar un paso adelante en el trading de crypto. Cuando bitcoin frena, el capital se dirige a los de monedas más pequeñas. Este capital inyectado en mercados más pequeños genera

[135] Si entiendes toda esta frase ya estás lista o listo para empezar a estudiar seriamente como entrar en el ruedo.

[136] twitter.com/hex_bull/status/1382067331363405825?s=24.

subidas de precios memorables. Esta es la *altseason*, un momento en que si estudias bien las oportunidades puedes multiplicar x10 o x20, en algunos casos x100 o más tu inversión. Si pones mil euros puedes encontrarte con 10 mil. 20 mil. Cien mil en unos días.
No me canso de repetir que al frente de ganancias estratosféricas la mayoría pierde sus mil.
Pero hay que tener presente que la alquimia de los vasos comunicantes entre el mercado de bitcoin y el mercado de las altcoin genera mucho interés en los inversores.
Un ejemplo. En 2017, al final del ciclo anterior de bitcoin, se registró una caída magistral, como vimos. Esto abrió una fase caracterizada por el protagonismo de las altcoin. Una *altseason*. Como la que se está viviendo en estos días de mayo 2021.
Xrp, ether, doge, por ejemplo, subieron notablemente después de que bitcoin había alcanzado su máximo a 20 mil dólares y había empezado su caída en picado hasta los 3 mil. Este efecto retrasado de las altcoin duró unas 4 semanas.
En la fase actual se espera una caída de bitcoin y sabemos que las altcoin podrían seguir en una fase de *altseason* durante unas semanas más.
En vez de vender bitcoin para sacar beneficios inmediatamente es más rentable (y más arriesgado) pasar la cantidad de bitcoin que se quiere vender a ether, u otra cryptomoneda fuerte, para esperar que suba unas semanas más, para luego sacar beneficios mayores cuando acabe el momento de euforia de las altcoin. Algunas llegaron en 2017 a subir hasta un 50%. Esto proporcionaría a los beneficios finales un incremento considerable.
Es complejo y me ha costado entenderlo. Además hay que añadir a esta teoría que nadie sabe cuándo empieza una caída o cuándo es el final de una *altseason*. Pasando bitcoin a ether si ether se desploma antes de lo previsto puedes haber perdido gran parte de tus beneficios.
Lo importante de todas formas es entender la lógica de estas dinámicas. Solo los expertos llegan a poderla utilizar con propiedad.

Bnb, ada, eth, vet, doge...

De las grandes cryptomonedas el crecimiento de bnb es para tener en cuenta. Como también el de ether que es la moneda que más podría multiplicar su valor entre las grandes. Más de bitcoin en el medio periodo.

Se espera que ether suba hasta los 10 mil dólares y como dicho, por ahora, estamos a 3 mil.
Cuando la CryptoJungla habla de altcoin hay que distinguir como acabamos de ver entre las primeras 10 - bitcoin, ether, binance, dogecoin, xrp, tether, ada, polkadot, uniswap y litecoin[137] - que siguen bastante la volatilidad de bitcoin y las altcoin muy jóvenes, muy peligrosas, pero también muy capaces de multiplicar su valor en términos no previsibles. Si "cazas" una altcoin en sus orígenes puedes ver multiplicar tus fondos con una rapidez difícilmente comparable con ningún otro producto financiero. Muy útil es subrayar contextualmente que frente a posibles ganancias rápidas y copiosas existe también la altísima probabilidad de regalar tus fondos a los tiburones del mercado.
Todas las cryptomonedas tienen una historia más o menos interesante. Pero no todas las monedas son el espejo de un proyecto serio y muchas, como acabo de mencionar, son verdaderos *scam*, es decir, estafas completas. Dado que el método para crear una moneda y ponerla en el mercado es bastante simple - escuché a un gurú decir con mucha elegancia que "puedes crear una ficha de tu yo mientras estás sentado en la taza del inodoro" - y la creación de una página web y de un documento pdf está al alcance de todos, han nacido las *shitcoins* con el único objetivo de robar dinero a quienes invierten creyendo en ellas.
En el universo crypto, incluso una moneda nacida como una broma tiene su propio peso. Dogecoin es una cryptomoneda derivada de Litecoin que usa como mascota a un perro Shiba Inu del meme de Internet Doge que se hizo famoso en 2013. Un perro con frases graciosas es el tema del meme en cuestión. Un *tweet* generoso decía: "La diferencia entre #bitcoin y #dogecoin es que #bitcoin es una inversión, #dogecoin es una religión ... es posible que #dogecoin supere todas las predicciones. Los fundamentos no importan en religión... ".
Justo ese año Billy Markus, programador e ingeniero de Ibm, creó esta moneda para ofrecer una alternativa al bitcoin que en ese momento se había asociado con la *darkweb* para transacciones en el mercado ilegal anidado en la oscuridad de las profundidades más inaccesibles de internet.
Doge se mina más rápido que bitcoin y utiliza el programa cryptográfico Scrypt. Su velocidad también es evidente en las

[137] coingecko.com

transacciones y su número cerrado de unidades es de cien mil millones de doge, frente a 21 millones de bitcoin.
El 20 de diciembre de 2020, el Ceo de Tesla y fundador de SpaceX, Elon Musk, lanzó un *tweet* épico. "One Word: Doge" refiriéndose a la cryptomoneda meme. Su valor aumentó un 25% en unas pocas horas. La moneda ha llegado a ocupar la posición número 4 entre los token de DeFi, finanzas descentralizadas, y viaja sobre la capitalización de casi 70 mil millones de dólares.
Decidí comprar algunas unidades sin un porqué real. O tal vez porque, como dijo Elon Musk en una frugal entrevista, "sería genial tener un meme como moneda mundial". Hasta ahora ha dado una gran satisfacción. También tiene razón el Jaime Merino cuando dice "No invirtáis en doge porque lo dice Musk, porque es un meme y no es lo mismo que perdáis dinero vosotros. Si Musk pierde, a él le provocaría cosquillas, a vosotros os dolería mucho". Hay más de 800 mil monedas virtuales además de bitcoin. Desenredar la nube de monedas que son candidatas a explotar no es cosa fácil. Es como apostar por un caballo ganador, en mi caso sin saber nada de caballos.
Para hacerme una idea, seguí a algunos youtubers. El primero que me dio una idea más precisa y donde recibí indicaciones concretas fue Ivan on Tech. Con él descubrí Vet, que resultó ser una inversión x10. Es decir, si compraste diez, ahora tienes cien. Si compraste cien, ahora tienes mil.
Aprendí desde el principio que es importante comprender los riesgos involucrados en el mercado de altcoin. Si bitcoin es volátil, las altcoin son anguilas voladoras.
Es necesario tener las antenas abiertas para entender la próxima normativa, las nuevas tecnologías que se están desarrollando y que pueden cambiar el rumbo de la tendencia de las monedas. Y de nosotros mismos.
Ethereum es una cadena de bloques de código abierto y descentralizado. Y ether es su moneda, como vimos. Tiene ciertas similitudes con bitcoin pero se diferencia por sus características funcionales como los contratos. El proyecto nació en 2014 por iniciativa de un chico post-adolescente con acné llamado Vitalik Buterin, en aquel entonces de 19 años por todos definido como un tipo muy inteligente. La idea central era crear una plataforma capaz de ofrecer almacenamiento y ejecución de programas informáticos en una red de bloques descentralizada. El niño, Buterin, atesoraba los grandes logros tecnológicos de bitcoin, pero lo empujó hacia un nuevo

horizonte increíblemente vasto. Según su idea la blockchain no tenía que limitarse a ser utilizada solo para las cryptomonedas, sino que quería convertirla en algo más completo. Finalmente logró dar forma a una máquina virtual. El Ethereum Virtual Machine es capaz de ejecutar software de todo tipo en su sistema operativo generalizado. Miles de aplicaciones han florecido en Ethereum, que la convirtieron en la cadena de bloques de referencia para las ideas más innovadoras aplicadas a cualquier tipo de sector.

En la blockchain se tokeniza cualquier cosa y se asocia a los contratos inteligentes que contienen toda la información, la programación del momento de ejecución, el contenido de la transacción, etc. Nadie puede alterar la programación de un contrato inteligente una vez creado.

Ethereum tiene también una falla importante que puede socavar su futuro. Las llamadas *gas fee*, de las que hemos hablado. Cada actividad en Ethereum tiene un coste en *gas*. Los *gas* tienen un valor constante que no fluctúa con el precio del ether y ninguna transacción puede valer más de 21 mil *gas*. Pero en la práctica esto tiene un reflejo fácil e intuitivo. Ethereum es muy caro. Operar en esta blockchain está resultando cada vez menos acorde con los tiempos, ya que los competidores ya han resuelto el problema de los otros costes de las operaciones. Las transacciones en la cadena de bloques de Binance son mucho más baratas, pueden costar hasta veinte veces menos que la cadena de bloques de Ethereum. Para enviar un solo token *nft*, o sea para subir una obra de arte por ejemplo, puede llegar a costar más de cien dólares.

Si en la próxima actualización, llamada Londres, como vimos, no se mejorara este aspecto, esto podría aumentar el malestar de la CryptoJungla, llevando las inversiones hacia otras cadenas de bloques más modernas y sobre todo más baratas.

La tercera cryptomoneda más fuerte es ada, Cardano. Es una cadena de bloques de código abierto diseñada para transacciones y como sistema operativo distribuido capaz de albergar aplicaciones de diferente naturaleza. Aunque Ethereum ha marcado la era de las cryptomonedas 2.0, Cardano está iniciando una nueva fase 3.0 marcada por la filosofía de sus creadores que informan que "Ada es la única cryptomoneda que utiliza una filosofía científica y un enfoque orientado a la investigación".

Incluso los nombres elegidos insinúan esta elección ideológica. El nombre de la cadena de bloques proviene de Girolamo Cardano, filósofo y matemático de Pavía, Italia, quien inventó la teoría de la probabilidad y los números complejos, fundamental cuatro siglos

después para describir el mundo cuántico. Mientras que la moneda ada está inspirada en Ada Lovelace, matemática y escritora del siglo XIX, famosa sobre todo por los estudios de su máquina calculadora y considerada la primera programadora informática. De hecho, entre sus escritos encontramos el primer algoritmo reconocido que ha sido procesado por una máquina.
En 2017 Charles Hoskinson, cofundador de Ethereum sucesivamente salido del proyecto golpeando la puerta, lanzó su Ico para la recaudación de los fondos y llegó a 63 millones. Una semana después, ada había alcanzado el límite de los 600 millones de dólares, para luego experimentar años de incertidumbre. En 2021 llegó el boom de ada, en menos de dos meses alcanzó su máximo histórico que se tocó, superándolo, en estas semanas de mayo 2021. Cardano promete mejores contratos inteligentes y a un precio mucho más bajo para las transacciones que Ethereum. Esto lo pone en el mapa como uno de los proyectos más prometedores.
VeChain, que como he indicado anteriormente ha representado en 2021 una óptima inversión, es un proyecto iniciado en 2007 y luego lanzado al mercado en 2015 por el ingeniero electrónico Sunny Lu, de Louis Vuitton, y DJ Qian, con la idea de traer soluciones tecnológicas uniendo la cadena de bloques, con el Internet de las cosas y la inteligencia artificial. VeChain está especializado en gestión de suministros, para evolucionar en la oferta de servicios dirigidos a una amplia gama de industrias diferentes. Por ejemplo, en la industria del vino, VeChain puede ayudar a los fabricantes a detener la falsificación y las ventas no autorizadas con token Vethor. ¿Cómo? Una etiqueta denominada Rfi permite tener un sensor en cada botella y los datos del sensor se recogen en una cadena de bloques de tal forma que se pueda rastrear la trayectoria de cada botella identificada en el proceso de distribución.
VeChain está creando una plataforma similar a Ethereum en la que construir contratos inteligentes y aplicaciones descentralizadas. VeChain vio el nacimiento de su moneda mucho más tarde. 2017 fue un gran año para vet y se convirtió en la vigésimo cuarta cryptomoneda más valiosa. Ahora tiene una capitalización de 13 mil millones de dólares. Incluso el hombre santificado por la jungla llamado el *Jesús de bitcoin,* Roger Ver, personaje controvertido que llevó bitcoin al éxito en sus primeros pasos, asegura que el proyecto VeChain será de utilidad pública porque lucha contra las falsificaciones y permite que los mercados sean más seguros.

Ico, el embrión de las altcoin

Las altcoin empiezan por un germen, una semilla. Un primer pálpito de vida. Esto es la Ico, la tecnología revolucionaria de la nueva financiación empresarial.

El acrónimo significa *Initial Coin Offering* - muy similar al Ipo, Initial Public Offering, o sea la oferta pública de venta - y marca el nacimiento de una nueva cryptomoneda.

En la blockchain, como vimos en las páginas anteriores, viajan los token. Hay diferentes tipos. Los utility token que permiten la interacción entre usuarios de servicios de una compañía o de una app. Security token, que son equivalentes a acciones de compañía. Pertenecen a una compañía digital y representan una forma de inversión o participación en ella. Otros son las monedas, los *stablecoins* y los *non fungible token*, los famosos *nft*.

Las monedas son token que corren en su propria blockchain haciéndola funcionar como bitcoin de la blockchain Bitcoin o ether de la blockchain Ethereum. Por otro lado están los token que corren sobre otra blockchain y no tienen una cadena de bloques suya propia. Aunque se puedan utilizar como método de pago, son fundamentalmente creados para incentivar la interacción en una comunidad o proyecto más amplio creado sobre una blockchain. Crear un token es muy sencillo. Es suficiente indicar en una blockchain un nombre, un símbolo, una cantidad inicial de token y sus decimales o sea la posibilidad de fraccionarlos y establecer si se pueden quemar, o sea destruir, mintear o sea crear, pausar, blacklistear, deflacionar. Existen empresas o servicios que te permiten crear token con un formulario web sencillo y rápido, sin necesidad de escribir una línea de código. De pago o gratuitas como mywish.io, tokenmint.io, cointool.app[138], vittominacori.github.io[139] o tokenmaker.org, por nombrar solo algunos de los muchos.

Si quieres hacerlo tú mismo, crear el código es relativamente sencillo. Para el caso de token Erc-20, el lenguaje de programación es Solidity. Muy similar a Javascript, por lo que para cualquier persona con conocimiento de este lenguaje, o Java, o cualquier otro C-type, es

[138] cointool.app/eth/createToken.

[139] vittominacori.github.io/bep20-generator.

relativamente fácil[140]. Existen también muchas plantillas o códigos base en Internet y en la comunidad abierta del mundo crypto, que se pueden copiar y reutilizar modificando únicamente las características de tu token. En menos de una hora lo tienes hecho.
Para pagar los *gas fees* se necesita una wallet como Metamask para así desplegar tu token a la blockchain. Es recomendable inicialmente hacer una prueba en una blockchain de test como Rinkeby, Ropsten, Kovan, entre otros. Una vez verificado se puede subir a la blockchain de Ethereum.
Para que este token tenga una cierta credibilidad es conveniente auditar o solicitar verificación[141]. Una vez creado, auditado y desplegado, los token ya existen en Blockchain y se pueden crear o transferir entre wallet de esa blockchain.
Una vez lanzado el token es posible pasar al mercado. Las Ico son el aspecto más regulado que existe en las cryptomonedas, aunque las regulaciones para sacar Ico adelante dependen de cada país.
Una Ico es en la práctica un proceso de recaudación de fondos para un proyecto, empresa y no equivale a la compra de "acciones" de una compañía, porque no se adquiere ningún tipo de participación. Se trata de una contribución de fondos, comprando token de la compañía pagando con cryptomonedas o con *fiat*.
La economía de las Ofertas Iniciales de Monedas ha recaudado 27 mil millones de dólares, una cifra que aumentó drásticamente del 2017 al 2019[142]. Una vez lanzada al mercado una Ico muchas veces se incendia y pasa unos días *on fire*, el precio sube como la espuma. Todo el mundo compra, compra. Y luego de repente todo el mundo vende, vende, vende. Y la nueva cryptomoneda genera nueva riqueza para algunos, los más curtidos del mercado y empieza a veces su joven lento declive hacia el olvido. En este mecanismo muchas cryptomonedas son puro *scam*, estafas. No tienen nada detrás y lo único que quieren es cabalgar estos instantes de euforias para especular lo más posible.
Antes de comprar se recomienda "Dyor, Do Your Own Research", infórmate bien. La CryptoJungla tiene una comunicación muy confusa pero todo se encuentra, si buscas bien.

---

[140] Si eres ingeniero y/o programador lo entenderás, si no pasa adelante.

[141] toptal.com/ethereum/create-erc20-token-tutorial levelup.gitconnected.com/how-to-create-a-cryptocurrency-token-15a898e2bb8d trustwallet.com/blog/how-to-create-your-own-bep20

[142] "Las 10 Icos con el mayor retorno de la inversión", es.cointelegraph.com

Algunas de las web más queridas por los especuladores extremos son coinlist.co, icowatchlist.com, icotokennews.com/icos, topicolist.com. Aquí puedes ponerte en lista de espera para comprar las nuevas altcoin en embrión, antes de que salgan en el mercado. Una ocasión que puede cambiarte la vida. O perder, según te salga la jugada.
Este sistema tiene mucho de *crowdfunding* y también con las Ico hay diferentes posibilidades. El *soft cap* establece un mínimo, si no se alcanza se devuelve el dinero a los contribuyentes, como en los clásicos *crowdfunding*. El *hard cap* establece un máximo, si se alcanza se para la ico. *Uncapped with fixed rate* es sin límite de cantidad o contribuyentes y con duración ilimitada, con precio fijo de intercambio y descuento para los primeros. El *capped with fixed rate* es una ico limitada en el tiempo con precio fijo y un número limitado de token, *first-come-first-serve*, quien llega primero se aprovecha. Finalmente el *dutch auction* que indica una subasta al alza.
Para que un token acabe en Binance o en otro exchange, tiene que pasar un proceso de selección donde se revisa el proyecto y su potencialidad en interés y demanda del mercado.

Jugar con anticipación

Un detalle de última hora me pareció particularmente interesante. Es un ejemplo de cómo se puede invertir con una jugada de anticipación.
En el próximo futuro, muy próximo, la blockchain de Cardano será noticia.
Cardano, con la cryptomoneda ada, como vimos representa la evolución de Ethereum. Como acabamos de ver si bitcoin es la blockchain, Ethereum es la blockchain 2.0, Cardano se presenta a la CryptoJungla como la blockchain 3.0. Esto porque ha mejorado los errores de las experiencias anteriores y está creando un sistema que permite el proliferar de muchas nuevas aplicaciones.
Como Uniswap es el mercado de intercambio descentralizado de Ethereum, Cardano tendrá su mercado. Se llama Sundaeswap.
Un youtuber nos dio las pautas para encontrar una manera de entrar en este mercado antes de que entre a régimen. Bitcoin Express, es el nombre del canal en Youtube, se dio cuenta que hace años que los proyectos nuevos interesantes eran los que se iban a implementar sobre la blockchain de Ethereum, nuevas app. De esta forma pudo invertir en cryptomonedas que prometían un futuro florido y una revalorización muy atractiva para los especuladores.

En Cardano está pasando ahora lo que pasó hace años con Ethereum y el chico de Bitcoin Express, fuerte de su experiencia está repitiendo la estrategia. El objetivo es comprar los token de Sundae antes de que estén disponibles para todos. Presumiblemente de esta manera se compran a un precio muy bajo que cuando estrene el mercado dará un estirón histórico, con consecuentes beneficios se espera de por lo menos un x10.
¿Cómo puedo comprar Sundae antes de que salga? No van a hacer una Ico para este token. La manera propuesta por el proyecto es apuntarse al staking. La plataforma busca liquidez y ofrece token de Sundae a cambio de cryptomonedas ada.
Para poder interactuar con la blockchain de Cardano hay que tener el equivalente de Metamask (que es, como vimos, una wallet para Ethereum) la wallet de ada es Yoroi. Como Metamask, Yoroi es una sencilla extensión de Chrome.
Si invierto mis ada en este staking voy a ser uno de los primeros *hodler* de los Sundae token. Es probable que la noticia de un nuevo mercado haga subir o volar el valor de los token de Sundae, por esto me parece una gran ocasión. Es una manera de contribuir al mercado, con el staking, y de ser pionero en una nueva aventura. No despreciable también la posible aparición de importantes beneficios en esta operación. En las eventuales próximas ediciones del libro os contaré cómo ha ido.

FISCALIDAD

Una vez más, el banco eres tú

Una de las cosas que menos entiendo de nuestra sociedad es la fiscalidad. El acto de pagar a la sociedad por el bien propio y colectivo debería ser un acto natural y sencillo de realizar. Pero no. Hay que pagar chocando con una organización actual que complica mucho la contribución del ciudadano al bien común. Como estrategia me parece paradójica.

El sistema de pago de impuestos debería ser sencillo, mientras que ahora para poder pagar necesitas una gestora y existen mil mecanismos intrincados con las retenciones que se te devuelven, el Iva que pagas pero no cuenta porque se compensa, el Irpf si lo pagas te lo devuelven en algún momento. Hay que recolectar las facturas, hay que pedirlas como si fuera algo especial y si la pides tienes que esperar a veces mucho, demasiado tiempo para obtenerla. Estás obligado a pagar por adelantado los impuestos para el año que viene, pero teniendo en cuenta el año anterior. Pagas primero incluso si no cobras. A veces, te devuelven algo, con un efecto diferido de meses. Un caos.

Entiendo que la disciplina es un monstruo tentacular formado en décadas diferentes y con muchas excepciones, pero ¿no sería más inteligente utilizar las cabezas humanas más brillantes para estudiar un sistema más estándar, más sencillo, que quite la barrera de entrada para pagar? ¿No sería útil para la vida de todos y de todas las empresas tener un sistema fácilmente comprensible y fácilmente liquidable? Tantas inteligencias al servicio del comercio, de la producción. Pocas mentes concentradas a mejorar nuestra vida que se pierde detrás de una avalancha de procesos completamente inútiles y perniciosos. Si facturo junto a otros compañeros para un cliente común, la repartición de las facturas, de los gastos, se convierte en un problema burocrático y matemático digno de un tratado de paz. Un caos legislativo que aleja el individuo de la real razón de las tasas. Vivir en una sociedad mejor. Si pido la factura en al aparcamiento de Venezia, 45 minutos de confabulaciones para poder demostrar este gasto. Si no facturo nada pago igualmente la seguridad social (en España). Si no tengo un trabajo comercial sino muy útil y humanista, no me encuentro en ninguna categoría burocrática. Y hasta pagar se convierte en un croquis impensable. Y somos Europa, para hablar de austerity, para santificar el megafeudo de Bruselas, de Estrasburgo, pero de uniformar nuestra fiscalidad no, en esto no somos Europa.

Si entramos en el capítulo de la fiscalidad ligado a las cryptomonedas obviamente el discurso no mejora. Entender cómo declarar no es exactamente sencillo, también porque nos encontramos en un *interregnum* sin reglas ciertas. En la gran mayoría de los países no existe todavía una regulación específica y normalmente se aplican las normas generales de tributación. Incluso en países donde las cryptomonedas han sido reguladas, como en Japón, estos ingresos se clasifican como "misceláneos" y los contribuyentes deben tributar conforme a ello[143].

Para ir al punto, la regla general es que todos los movimientos que te generan un beneficio tienes que declararlos. Entonces el primer paso es apuntar y tomar pantallazos de todas las operaciones que se emprenden.

Hoy he comprado la altcoin iota contra el par btc, por ejemplo. Apunto y pantallazo. Ayer vendí ada para reinvertir en ether, una vez más lo apunto y saco el pantallazo.

Luego hay que calcular.

Ejemplo. He tenido las primeras 4 compras. El quinto movimiento ha sido una venta. Calculo la cantidad vendida de cryptomoneda. Calculo el valor al que lo compré, multiplicando la cantidad de moneda comprada a lo largo de esas 4 transacciones por el precio de compra en cada momento, y tras una ecuación de no sé cuánto grado saco el valor de compra originaria. Veo la diferencia del precio de venta. Restas y declaras para pagar el 20% (en España)[144].

Otro ejemplo. Compro el día 20 de marzo 2020 con 2 mil euros una cantidad de 0,32258 btc. Cuando el bitcoin vale 6200 euros. Y vendo el

[143] Francisco Ossandón Cerda, Magíster en Tributación, Universidad de Chile.

[144] Sencillo, ¿verdad?

17 de agosto cuando el bitcoin vale 10300 euros, vendo la misma cantidad de btc a 10300 euros. La diferencia será de 1322€ que representa los que tengo que declarar y sobre esto pagaré un 20%.
Otra manera es calcular el porcentaje de subida del bitcoin.
Se calcula así. Restas el valor de hoy menos el valor inicial. La subida 4100 euros es el resultado. Divido por el valor inicial o sea por 6200 euros y lo multiplico por cien. 66% en este caso. Tenía 2000€ lo multiplico por 0,66 y llego al valor de mi ganancia.
En Italia, si las personas físicas hacen trading, las ganancias de capital no están sujetas a impuestos hasta que alcanzan un cierto nivel. En la resolución ministerial de la Agencia Tributaria N72 de 2 de junio de 2016, las cryptomonedas se consideran monedas alternativas y se gravan solo si se alcanza un valor de bitcoin superior a 51 mil euros durante 7 días consecutivos, las plusvalías generadas por la venta de bitcoin se deben tributar[145].
La verdad es que después de haber estudiado el caso, lo mejor es dirigirse a un experto de cryptofiscalidad. Es lo que haré. Lo confuso de todo esto deriva también del hecho que debes ser capaz de trazar todas tus permutas y todas tus transacciones aunque nadie pueda realmente controlarlas.
"No hay legislación expresa, no hay un artículo que hable de impuestos de cryptodivisas" me cuenta Jesús Lorente, de Seico Asesores, experto en impuestos de bitcoin y otras cryptodivisas, "la primera mención en España es el proyecto de ley contra fraude actualmente en trámite parlamentario, donde se dice que hay que declarar en el modelo 720". Y sigue Jesús Lorente "no existiendo una legislación nos movemos con consultas vinculantes donde la agencia tributaria ha dicho expresamente que a falta de legislación las operaciones con cryptomonedas se consideran a efectos legales como permutas y por esto se tienen que tributar en el momento de la permuta misma, no cuando sale a euro. Pasa lo mismo con una casa por ejemplo. Si permuto una casa con otra sin pasaje de dinero debo declarar. Cualquier intercambio tiene que tributar en la renta. Esto ha creado mucho revuelo. En los fondos de inversión no se tributa hasta venderlo, pero para las crypto no se ha especificado y por esto se va a la regla general de permuta".
"Con la descentralización cambia el paradigma de ver la economía y mientras hasta ahora el banco ha sido nuestro padre ahora el banco somos nosotros y esto conlleva la responsabilidad de tener que registrar

---

[145] "Bitcoin Facile", Bruno Editore.

todos nuestros movimientos, uno a uno" explica Lorente, que sigue "Existe software que acumula todos los datos de Coinbase, de Binance para luego hacer el cálculo. Se supone que el año que viene si tenemos más de 50 mil euros en un *exchange* fuera de España hay que declararlo en un modelo de hacienda. Es un modelo controvertido y criticado desde Europa y definido ilegal, pero es así. Hacienda considera que una cryptodivisa está en el extranjero cuando las claves privadas están en una plataforma con sede en el extranjero. Si tengo una wallet en frío no se declara en el 720. En el modelo 100 de la declaración de la renta se declara lo que tenemos en todos los mercados, Dex incluidos". El holding no tributa hasta que no cambies por una crypto o una *fiat*, nos explica Lorente.

"A día de hoy es muy complicado que Hacienda tenga informaciones sobre nuestras cryptomonedas" asegura Lorente, "La única información que podría encontrar es del dinero que ha salido y entrado en nuestras cuentas bancarias, si la entidad le ha favorecido esta información. Luego si un día con el dinero ganado con cryptomonedas queremos comprar por ejemplo una casa hay que demostrar de dónde viene el dinero y cómo lo hemos tributado. Si no por blanqueo de capital nos pueden bloquear la cuenta. Además hay unas sanciones enormes para los que no lo declaran, son 5000 euros por cada dato no declarado además de sanciones que pueden llegar al 150% de lo no declarado. Estamos muy en contra de este modelo porque es totalmente abusivo".

"Es una oportunidad y nueva forma de hacer economía" concluye Lorente, "Hay que cambiar filosofía. Pierden fuerza los bancos, el Estado, por esto no les gusta, pero ganamos todos como ciudadanos".

NFT
Un Nuevo Mundo Paralelo
y la Nueva Era del Arte

TOKEN NO FUNGIBLES

¿Para qué necesitamos los *nft*?

En el mundo paralelo de blockchain todo puede ser intercambiado si es transformado en token. El token tiene instrucciones para su funcionamiento. Y todo lo que haga el token en la red se queda registrado y es de libre acceso para la comunidad.
Hasta ahora vimos la aplicación más común y más atractiva, las cryptomonedas, pero los token no fungibles, o sea los token que son únicos y no replicables están despertando la creatividad mundial y se están abriendo infinitas posibilidades de aplicación de esta tecnología para hacernos la vida mejor. El arte es una de las aplicaciones para *nft* que más ha sido promocionada por los medios. Siempre por un motivo especulativo más que sustancial. Pero las maneras de utilizar token son muchas y muy interesantes.
Imaginemos que el modelo feudal del periodismo pueda dar un paso adelante con los token. Si escribía un artículo, un reportaje, antes lo leía mucha gente. Los domingos en Madrid me metía en el metro para ver cómo se comportaban los lectores con lo que había escrito. Lo miraban, pasaban página, se fijaban... buscaba un feedback de primera mano. En Italia mi día era el viernes. Los reportajes en los años 60 se pagaban muy bien. Un reportaje podía remunerarte como uno o dos años del sueldo medio de los trabajadores de una fábrica. Desde que empezó Internet y la comunicación descentralizada los medios pagan una miseria. Los periodistas escriben en blogs, en facebook, en los social network, pero quien gana es en orden de aparición: la compañía

telefónica, Google, Facebook, Instagram etc. Todo el mundo se beneficia de aquella información, pero al autor no le llega un duro.
¿La consecuencia? Cada vez menos esfuerzos para informar. Los periódicos online no tienen calidad, el público no sabe más nada de profundo, los intelectuales tienen una mordaza transparente en su boca y los periodistas se han buscado una fuente alternativa de sustento. El trading por ejemplo. He conocido en estas décadas periodistas tremendamente valientes que siguen luchando y creando, un poco porque no te queda más remedio que alimentar tu vocación, un poco porque es una responsabilidad que no puede dejarse en el olvido. Otro problema es el feudo en sí. El filtro de las redacciones es algo prehistórico. Se mira el mundo con un prismático y se filtra la información de los colaboradores como si fuera la corte del rey. Siempre menos derechos, cada vez menos eficacia.
He podido hablar con la periodista Covadonga Fernández fundadora y directora del Observatorio Blockchain, que me ha regalado su punto de vista y que identifica uno de los males de los feudos periodísticos. Me contó que cuando entendió el mundo blockchain, porque le pagaron unos trabajos en ether, y sus potencialidades pensó que era interesante investigar e informar sobre aquello. Los feudos han reaccionado muy fríamente a sus propuestas de colaboración. El tema no interesa por ahora al feudo o no interesa que lo trate un periodista externo al feudo. Pero desde el feudo no se ve nada, todo es borroso, lejano. Así que el lector no entiende nada del tema. Y cerramos el círculo poco virtuoso.
Por otro lado Covadonga, espejo de una generación más que valiente, se ha armado de paciencia y acumula seguidores tras seguidores, lectores tras lectores, cada vez más en su criatura editorial, sin ninguna duda una de las más completas e interesantes en España. Un portal que informa constantemente sobre este tema tan actual, revolucionario y útil.
"Blockchain es la historia y los medios se la están perdiendo" comenta Covadonga, que sigue "Cuando llegó Internet la originalidad se perdió y es posible realizar infinitas copias de todo. Blockchain resuelve este problema devolviendo valor a la propiedad intelectual. Para las redacciones del próximo futuro es una manera de rentabilizar todo tipo de material, desde los artículos, a los archivos de fotografías".
Imaginemos que escribo y lo subo a la blockchain de Ethereum o de Binance como *nft*. El smart contract de este token que representa mi reportaje, me otorga una determinada compensación por cada compra. Los lectores leyendo me pagan a través de su wallet, MetaMask. Cada

vez que alguien accede a este contenido me paga. Si doy la opción de comprar el report y poseerlo, será a cambio de una congrua cantidad de crypto. El lector podría también venderlo si quiere y la blockchain me otorgaría según lo pactado a través del smart contract una cantidad de dinero por cada ulterior venta. Este escenario me llevaría a tener ingresos constantes y justos por mi trabajo. Nadie podría copiar este token, porque es único y no fungible.
Si este esquema estuviese dentro de un aglutinador de noticias como una redacción de un medio o dentro de una social network, mi posibilidad de tener la satisfacción económica por mi trabajo se vería satisfecha sin necesidad de la aprobación de nadie. Yo mismo, el autor, escribo, lo publico y decido cuánto quiero que se pague. El escaparate infranqueable mostrará en sus registros indelebles mi autoría respetando así hasta siempre mi derecho de autor, tanto moralmente como económicamente.
Esta es la revolución de los *nft*. No la especulación. El presidente de Time, Keith A. Grossman indicó que planea incorporar los *nft* en su modelo de suscripción digital durante los próximos meses. También el New York Times experimenta con blockchain y ha subastado su primer artículo en *nft*. Associated Press y Quartz también han lanzado token no fungibles.

EL ARTE DEL BLOCKCHAIN
Un *win win* para todos

Empecemos por un punto de vista general. Los artistas viven en un mundo completamente desequilibrado que no les beneficia. A veces es injusto. De hecho, es una gran paradoja que he podido observar de cerca durante muchos años. Todos se benefician del arte. Cuando vas a un país nuevo, una ciudad nueva, de primeras no te vas a visitar un bufete de abogado o una ferretería. Te vas a un museo.
En el museo encuentras la suma de sacrificios, estudios, sufrimientos, exaltaciones del ser humano, todo fruto de la vivencia de los artistas que con grandes intuiciones y sacrificios han creado algo que se quedará como símbolo de lo más alto que es capaz de crear el ser humano, por supuesto junto a todos los inventos técnicos y científicos que nos han proporcionado un progreso.
Subrayo esto porque mucha gente cree que el arte es simplemente un adorno. Y es equivocado, algo injusto y con un sabor horrible. Quien tiene una opinión de este tipo es merecedor de su destino.
Una vez me encontraba en la preciosa isla de Fogo, en Cabo Verde, donde hay algunas historias humanas que me fascinan mucho. Desafortunadamente no voy a hablar de esto ahora, aunque me encantaría, sino de un pequeño detalle que recuerdo con ternura. Tuve una buena conexión con un tipo italiano, del norte de Italia, que abrió una pizzería en este remoto ángulo del mundo y me contaba sus grandes empresas vendiendo grúas por Europa. Después de varios días escuchando me permití el lujo de hablarle de arte. "Vosotros artistas vendéis humo" fue su respuesta. No tiene algún valor, pero me provoca

una sonrisa cada vez que lo pienso. Y por otro lado es un pensamiento burdo recurrente.
En otras ocasiones el arte se ve como algo abstracto, solo digno de los perritos gigantes de Jeff Koons o los tiburones sumergidos en formol de Damien Hirst. El arte es noticia solo cuando se asocia a especulaciones tremendas.
"¡Una obra vendida por millones!". Entonces es noticia y consecuentemente la opinión pública distraída deduce que el arte es esto. "Un medio vaso de agua en Arco[146] por 20 mil euros", titular y pensamiento asociado al arte. Luego entras en la casa de la gente, personas, orgullosamente implicadas con su trabajo que ganan un muy buen sueldo otorgando su tiempo a favor de grandes corporaciones, por ejemplo, casas que han costado muchos centenares de millares de euros y allí se te cae el corazón en el suelo. En el muro ves las flores o el taxi amarillo de la grande cadena de muebles, el póster de algo totalmente banal, vamos, un "lo-que-sea" terrible. Me pone muy triste. Le falta emoción. Le falta el entendimiento de la emoción, su búsqueda y su recompensa.
¡Ponte en el muro algo que te emocione por hacerte un favor! Pon algo que cuando lo mires te haga viajar por otros mundos, algo de lo que puedas estar orgullosa u orgulloso. "Ah, pero yo no tengo tanto dinero". Esta es otra, llevas todo el día currando, todo el día compitiendo para ser mejor que la otra persona que está en tu mismo despacho o en el despacho de tu competidor y llega el momento en que tienes que invertir un poco de tu tiempo y un poco de este bendito dinero en algo que te puede hacer la vida realmente mejor ¿y contestas así? Madrid, por ejemplo, es un laboratorio gigante de arte. Hay un ejército infinito de artistas. Y puedo confirmar que ninguno es como Hirst y ninguno tiene sus precios. Comprar arte no significa gastarse millones. Esto simplemente no es verdad. Hay arte por decenas de euros, centenares de euros, millares de euros... Es un mercado infinito a ambos lados. Hay muchos que producen y hay muchísimos que pueden adquirirlo y disfrutarlo. Yo por ejemplo estoy muy feliz, profundamente feliz de abrir nuevo mercado. Porque he visto en mi experiencia que la gente simplemente no tiene el automatismo de hacerse la vida mejor con arte. No lo sabe, porque nadie se lo cuenta. Los artistas son pésimos vendedores y viven recluidos, acosados por una sociedad que lo único que le pide es que pague la cuota de autónomo. Como si estuvieran

[146] La feria de arte de Madrid.

vendiendo un producto industrial. Los amigos te miran como si estuvieses perdiendo el tiempo, porque lo único que sirve es la carrera. Como si ser artista no fuera una carrera. Así que, el artista apaleado y solo, en un gremio incapaz de unirse y hacer valer sus prerrogativas, sigue con su sinceridad a crear por karma, intentando molestar lo menos posible. Esto lo he visto una y otra vez en estos años.
Creo que este modelo está cambiando y que se irá abriendo el mercado a nuevos micro coleccionistas. Un mercado infinito que no pasa por los filtros anquilosados del mercado actual.
En un curso de "marketing para artistas" el galerista Juan Curto, su galería se llama Cámara Oscura, me dio un dato que me dejó muy pensativo. En España de 18 mil galerías viven de sus ventas solo 15 y no me refiero a 15 mil. La intermediación está funcionando bastante mal. Funciona solo con los grandes coleccionistas, con senderos de grandes capitales construidos con años de alquimias transparentes o, en la mayor parte de los casos, muy poco transparentes. El antiguo modelo seguirá existiendo, para poder llenar de piezas multimillonarias las casas bien cargadas de personas amantes de los grandes números. Pero el resto es un mercado muy potente y que puede tener efecto en la vida de toda la colectividad.
Entre los más grandes coleccionistas del siglo pasado había una pareja de ancianos señores, empleados de correos, que se enamoraron del arte y empezaron a comprar piezas baratas pero que les regalaban algún tipo de emoción. Herbert y Dorothy Vogel tenían mucha sensibilidad y llegaron a comprar a un precio muy bueno grandes firmas del mundo del arte cuando todavía nadie los conocía. Llegaron a tener 4782 obras.
Al principio es la emoción, es el motor de quien crea, pero también el motor de quien recibe el arte, de quien lo quiere en su casa, de quien quiere vivir mirando a una ventana que te lleva a otros mundos. Así recuerdas cada día que otros mundos existen y tú puedes explorarlos, porque los tienes contigo y hay algo que puede activar este teletransporte. Esto es el arte, es emocionarse. Mira el catálogo, sabrás sin duda cuál de ellas es para ti, porque te llamará, habrá un click, una chispa, algo que te hace enamorar. Y el link que se crea es de forma más profunda, mucho más allá del mercado o de la especulación, o de la impresión en dibond o del material digital que se transforma todavía en pigmentos. Es importante cultivar toda esta parte no como adorno, que también, sino como parte imprescindible de nuestra vida.

Así el artista estudia, pasa su vida estudiando, sintiendo, observando, leyendo, buscando, arriesgando, para nutrirse de cosas importantes e intangibles. Para evolucionar y para facilitar el progreso colectivo.
Personas que nunca han pensado poder comprar arte, aún teniendo el dinero para hacerlo, descubren un gusto especial, descubren la emoción de ver todos los días que han elegido, buscado y hecho propio un pedazo de universo que les motiva. Lo comparten con sus familiares, con sus amigos, con la gente que les visita.
Una vez más te veo muy contento de este vuelo, pero te estás preguntando:
¿qué tiene que ver esto con blockchain y el mundo crypto?
Hace un año nadie sabía nada de *nft*. Algo de blockchain con mucha confusión se había oído. Los *nft* desde hace unos meses están literalmente en boca de todos. Y una vez más se levanta el coro de la habitual dinámica "es una burbuja", "es una perversión", "es inútil", "esto no es arte".
Las únicas noticias que nos llegan son de las obras vendidas a millones. Y la obra era un pixel. En marzo Beeple vendió una obra de cryptoarte "Everydays: The First 5,000 Days" por 69 millones de dólares. En la casa de subastas Christie's. Era el primer *nft* que vendía. Esta noticia ha calado capilarmente en la sociedad. La obra fue comprada por Vignesh "Metakovan" Sundaresan, que decidió salir al descubierto diciendo, "El objetivo era mostrar a los indios y a las personas de color que ellos también podían ser patrocinadores, que la cryptografía era un poder igualador entre Occidente y el resto, y que el sur global estaba aumentando".
En febrero 2021 un coleccionista revendió una pieza de video arte de Beeple por 6,6 millones de dólares, que había comprado en octubre por 67 mil dólares. Una especulación muy beneficiosa del 1000%.
Llegó a las noticias también la historia de Javier Arrés, el artista español que se puso en el mapa creando gif, algo que nunca se habría podido asociar al arte. Después de haber ganado la Bienal de Arte de Londres, dio un vuelco económico a su vida cuando el Ceo de la plataforma Makersplace le invitó a unirse a la plataforma. El artista español ha ganado casi 1 millón de euros con *nft*[147].

---

[147] Hay miles de historias morbosas y especulación. Si te gustan, aquí encuentras 10 más decrypt.co/62898/the-10-most-expensive-nfts-ever-sold

El morbo especulativo es fruto de una manera de relacionarnos colectivamente fuera de foco, como vimos repetidamente en este libro, pero detrás de los *nft* hay un horizonte muy ecléctico.

¿Cuál es la ventaja de tokenizar una obra de arte?

Tres puntos fuertes. Uno está ligado al respeto del derecho de autor, otro es la transparente certificación del arte y otro económico.
Una obra tokenizada se puede asociar directamente a un contrato que indique las características de la obra, que permita descargarla, que indique si es una edición única o limitada, por ejemplo. El coleccionista con un click puede comprarla con las garantías de autenticidad y, esto es el segundo punto fuerte, como hemos visto en relación con las monedas, todo el mundo puede verificar la transacción, que se marcará a fuego en la red de bloques. Todo el mundo podrá reconocer de dónde viene la obra, cuándo se vendió, cuántas veces se vendió. Será imposible modificar esta información o hackearla.
Para los autores esta tecnología significa resolver un problema de varios siglos que ha llegado a su clímax en los últimos 20 años con la difusión de Internet en nuestras vidas, con los software *peer to peer* que han sacudido el mundo de la creatividad intelectual de forma imponente. El *peer to peer* ha quitado a los autores, el *peer to peer* ahora probablemente les devolverá.
Con los *nft* el autor ve reconocida la autoría para siempre y puede decidir si recibir una compensación por cada reventa de la obra. En muchas plataformas automáticamente la reventa supone el reconocimiento del 10% por cada nueva transacción. Hoy en día un artista que llega a vender su obra cobra solo la primera vez. Si se emociona el mercado secundario no ve reconocido su valor y su autoría. Cuando empieza la especulación, ganan otros pero el autor no. Siguiendo la nueva proyección del sistema blockchain el problema podría estar solucionado.
Otra confusión que se vuelve recurrente es si la obra puede ser copia única en *nft* y coexistir en su versión física. Si tiene que ser exclusiva en *nft* y no puede circular físicamente en el mundo físico. Este problema denota un malentendido sobre los *nft*. Para evitar la confusión será necesario simplemente considerar el *nft* como una obra certificada y que tiene facilidad de difusión en la red.
Si quiero en mi smart contract puedo adjuntar el fichero originario raw, o una copia en alta resolución en tiff, por ejemplo, puedo poner el

fichero con capas, sin capas, también puedo poner un link que apunte a un lugar externo al *marketplace* para que el comprador pueda descargarse la obra digital y otros *benefits*, como también se puede establecer que el comprador de *nft* reciba la obra física, una vez efectuada la compra.
La obra en *nft* puede ser originaria, o sea pensada solo para la red y creada solo para existir en este *environment*, o puede ser la copia digitalizada de una obra que ya existe físicamente. En la práctica el autor tiene la famosa palabra mágica, la libertad de elegir lo que le plazca. Si el artista no es serio puede también organizar un fraude, decir una cosa por otra, tener un *nft* que vende como único y luego vender por otro lado obras físicas no autorizadas por el smart contract, exactamente igual como en el mundo real.
La blockchain ligada al arte, producto o servicio, ofrece simplemente una manera fácil de vender, de comprar, de difundir con la certidumbre que lo que se compra tiene una historia y esta historia es real, visible a todo el mundo en todo momento.
Si floreciera este sistema los artistas y los coleccionistas tendrían a disposición una de las herramientas más potentes que se haya visto hasta hoy para que se respete el copyright y para que se compense legítimamente el autor por la difusión de su obra. Una muy buena noticia para los creadores. Por otro lado el coleccionista no tendría la preocupación de comprar un falso. Conceptualmente, una vez más, la palabra clave es descentralización. El artista puede vender directamente sus obras en las plataformas sin necesidad de intermediarios. A nivel técnico es así. A nivel práctico es una posibilidad, pero sería más correcto pensar que el rol de curadores o de galeristas en un mundo tan difuso y abierto cobrará con toda probabilidad su valor. Actualmente las plataformas con acceso más libre, como Opensea por ejemplo, representan plataformas donde hay realmente de todo. Son como un eBay de la blockchain. Así tu obra maestra fruto de una década de trabajo y de estudio, premiada en concursos internacionales, con un valor respetable también a nivel económico, convive plácidamente con la vitrina de al lado que ofrece un gif animado de un gatito que sonríe u otra obra de arte que consiste en un solo pixel gris o el primer *tweet* del Ceo Jack Dorsey vendido por 2,9 millones de dólares.
Pero si ha vendido su primer *tweet*, ¿el *tweet* sigue en Twitter? Sí. Y entonces ¿para qué alguien lo compró, si todo el mundo puede hacer un pantallazo de esto?
El motivo de comprar un *tweet* es el certificado que el autor otorga a través del smart contract que garantiza que el autor ha creado un *nft* y

en éste se vende el primer *tweet*. Nadie más podrá tener este *tweet* en *nft*. Y por esto algún coleccionista lo quiso, porque sabe que el primer *tweet* del Ceo de Twitter es algo con un valor histórico y muy probablemente podrá venderlo en el futuro especulando de manera exorbitante. Lo que el coleccionista compra es el *nft*, no el *tweet*. Es el *nft* certificado que tiene un valor para el coleccionista, no el *tweet* que se encuentra online en Twitter, libre para el disfrute de los usuarios. El arte se abre a una infinidad de posibilidades, un caos donde todo el mundo compra todo tipo de creaciones y lo hace rápidamente, sin intermediación, sin zonas grises, y especulando cuanto quiera. Una manera perfecta donde los artistas pueden encontrar una fuente nueva de ingresos y de visibilidad. Pero también un ambiente con una nueva sensibilidad, con nuevas necesidades. Un caldo de cultivo para la creatividad global con la crónica dificultad de encontrar la manera eficaz para destacar en este coro distónico de voces en el mercado global.
Me pareció siempre interesante la historia muy americana[148], en el sentido de estadounidense, del pintor Pei-Shen Qian que no logró un éxito económico con sus propias pinturas, pero creó y vendió falsificaciones perfectas de Rothko por millones.
"¡Magnífico!" repitió David Anfam mientras examinaba el cuadro. El experto británico en Rothko había tomado el primer vuelo de Londres a Nueva York y vio que la paleta de colores, la técnica e incluso la firma en el reverso confirmaron que fue pintado por Rothko. Pero ese no era el caso. El verdadero creador, como lo reveló una cuidadosa investigación del Fbi y una demanda de dos años, fue un pintor chino llamado Pei-Shen Qian.
Qian había ido a Estados Unidos para que su carrera despegara pero el mercado tradicional se basaba en dinámicas a menudo incomprensibles o aleatorias y Qian vio una posibilidad de tener un merecido reconocimiento económico utilizando la antigua cultura china de la copia. En China el saber copiar es un arte que se estudia académicamente y tiene todo su sentido. Copiar ayuda a la preservación de la historia y a la mejora de la técnica. Saber copiar es fundamental para el progreso humano. Qian llevó esto al deslizante terreno del fraude y empezó a vender obras falsificadas a través de una galería muy respetada de New York. Stalls Ann Freedman, la directora

---

148 Bien descrita en el documental: Made You Look: A True Story About Fake Art de Barry Avrich

de la galería de arte Knoedler en Nueva York convirtió - sin saberlo dice ella - a Qian en una fábrica de obras falsas vendidas como originales. Christopher Rothko, el hijo de Mark Rothko, lloró después de estudiar la pintura de Qian durante media hora a petición de la corte cuando fue procesado. Era perfecto. La falsificación es algo que pasa en muchos sectores y me recuerda el famoso caso de Rudy Kurniawan, que se hizo rico copiando perfectamente las botellas, las etiquetas, el polvo, el envejecimiento de los materiales y obviamente también el aroma de los vinos más raros y preciosos del mundo. Durante años engañó al mundo entero, a los entendidos más escrupulosos con unas copias magistrales[149].
Todos estos casos de falsificación podrían tener un final definitivo con los *nft*. Por ejemplo la blockchain de la cryptomoneda Vet, de que hablamos en las páginas anteriores, es un proyecto que quiere luchar contra la falsificación en favor de la certificación de la autenticidad de todo sector, sobre todo en las primeras fases, del vino. La botella cara y preciosa tiene una etiqueta con un microchip. La bodega productora crea un *nft* de cada botella y de allí cada pasaje de la distribución se registra en la blockchain y es verificable por parte de todo el mundo.

Plataformas nft

Todo el mundo colecciona y los *nft* han desatado la obsesión. Un mercado enorme que compra e intercambia realmente de todo.
En arte las plataformas *nft* pueden tener un filtro de entrada, son "curadas", o de libre acceso. Nifty Gateway cuenta con un proceso de selección muy estricto. Están los mejores artistas, ya establecidos y los precios más altos. Su sistema de venta se basa en "drops" o colecciones, ediciones limitadas disponibles también durante un tiempo limitado. El impacto de esta oferta limitada en cantidad y en tiempo hace que los "Nifties" (como llaman a sus coleccionables) se vendan en segundos. A diferencia de otras plataformas, permite pago con tarjeta de crédito.
Super Rare vende piezas únicas, ediciones exclusivas, y de un arte diferente. Su proceso de selección es muy estricto, en su nicho de arte. Se autodefinen como "Instagram meets Christie's". Han creado una fuerte red social y activa alrededor de su *marketplace*. No aceptan tarjetas de crédito y se puede pagar solo con Eth.

---

149 Esquire "'Made You Look', el documental de Netflix que dejó en ridículo el mundo del arte". 3/2021

Más abiertos en el tipo de arte y de artistas que seleccionan es Makersplace, mientras Foundation es una plataforma "community curated" donde los propios artistas invitan a otros artistas a entrar y poder vender sus obras. Son ellos quienes eligen qué obras aparecen en la web, newsletters o redes sociales. El estilo me encanta y se nota que en Foundation se cuece algo interesante. Algunas de mis obras se encuentran en Opensea, tokenizadas o con sistemas híbridos. Quien compra o descarga directamente un fichero de altísima resolución en tiff o recibe un link externo donde he puesto diferentes contenidos, el fichero en alta resolución y la posibilidad de recibir también la obra física. Para expandir mis andaduras por el mercado de arte en blockchain quería estar en Foundation. Como decía es una plataforma donde puedes vender solo con invitación. Y quien tiene invitaciones son los propios artistas. Si alguien de los artistas que has invitado vende una obra tú recibirás 5 invitaciones. Entrar no es nada fácil si no conoces directamente a alguien que esté dentro.
Un día vi un post de un museo italiano de *nft* que ofrecía invitaciones a cambio del post habitual, *retweet*, etiquetando a otros artistas. No suelo participar en estas horribles puestas en escena, pero quería estar en Foundation y seguí las reglas de este juego. Mis tags eran artistas que me siguen en Twitter. Uno de ellos me escribió en privado. Un tipo italiano. Me sorprendí por el gesto generoso, me quería invitar a Foundation. Me pidió mi Whatsapp y una vez en chat empezó con un afán de superioridad a hacerme el tercer grado sobre mi arte, mis webs, investigando como si fuera un animal en un laboratorio de análisis. Por lo menos esta era mi sensación. Me pidió los enlaces a grupos de Telegram que tenía. Finalmente bajó de su Olimpo y decidió enviarme la invitación.
"Dame tu perfil en Foundation", me dijo.
"¿Pero si no tengo invitación cómo voy a tener un perfil?", contesté.
Resulta que la invitación te sirve solo para vender, pero puedes construirte un perfil también antes. En dos minutos tenía un perfil.
"Dame tu mail".
Escribí mal mi mail. No supe más nada de la invitación.
Me amargué mucho por este acoso sin sentido. Pero empecé a preguntar a artistas que me habían seguido o dado like en Instagram. Finalmente di con un interesante artista que hace vídeos muy llamativos. No tenía invitaciones pero tuvimos buena onda. Algunos días después me dijo "¿Te sigue interesando la invitación?". Me alegré

mucho y ahora mis obras relucen en Foundation. Estoy listo para crear obras en *nft* exclusivas para los coleccionistas de esta plataforma.
Otra plataforma es Known Origin, también liderada por la comunidad de artistas. Llega un poco más allá en la originalidad Async que vende las obras digitales también por capas. Los *layers* de Photoshop, para entendernos.
Más populares y abiertos Rarible una de las plataformas más usadas, de interfaz algo caótica, con mucho contenido en arte. Su token Rari distribuido entre los usuarios más activos, otorga el derecho de voto y gobierno de la plataforma.
La más grande, muchas veces descrita como "el eBay de los *nft*" es Opensea. Grandísima variedad y cantidad de artículos, que los integra además de otras plataformas como Rarible, MakersPlace o SuperRare. No tiene verificación de usuario, y el *gas fee* se paga una única vez por cada colección, independientemente de cuántos artículos se "minteen/ acuñen". Las obras se pueden vender a precio fijo, en subasta normal o en subasta con precio descendente.
Mintable es una plataforma muy centrada en el consumidor, con fáciles categorías, reviews por usuarios, etc... Se puede optar por diversas opciones de coste por *nft* (minteados gratis sin transacción, minteados con transacción sólo cuando se venden, o minteados con transacción normal por cada item).

Second Life

Un mundo virtual, el metaverso[150], donde puedes hacer de todo. Second Life fue un verdadero hit hace muchos años. Ahora con blockchain están naciendo mundos paralelos. Son tan reales estos mundos virtuales que se está desarrollando un mercado de oportunidades de business difíciles de creer. Se pueden comprar casas en *nft*. Tierras, coches. Todo lo que conocemos, virtualizado en *nft* y compartido en blockchain.
En Decentraland[151], el mundo virtual descentralizado, los usuarios pueden crear y hacer dinero con lo que construyen y poseen. Su mercado ofrece wearables, parcelas, tierras y nombres. Propiedades y construcciones. El token que crean se llama land y se almacena como

---

[150] El término metaverso (del inglés metaverse, contracción de meta universe) o meta-universo, tiene su origen en la novela Snow Crash publicada en 1992 por Neal Stephenson, y se usa frecuentemente para describir una visión de trabajo en espacios 3D. Wikipedia.

[151] decentraland.org

smart contract. En Genesis City, una de las ciudades más grandes, se vendieron parcelas y casas por millones de euros y la propiedad está garantizada. No faltan las discotecas, hasta de Ibiza, en su interfaz virtual y el token nativo de decentraland llamado mana ha subido más de un 3.600% durante el último año[152]. En este mundo virtual existen juegos, aplicaciones, imágenes y se puede viajar, explorar, interactuar. El Universo de "mascotas" inspirado en Pokemon se llama Axies[153]. Se compran y se intercambian en el mercado estas mascotas virtuales para jugar con ellos. Está basada en *play to earn*, *gameplay model* y *player-owned* economy. El modelo de negocio *Play-to-Earn* es la última frontera en la industria de los juegos y proporciona beneficios económicos a todos los jugadores que agregan valor al contribuir al mundo del juego, una sinergia de economía abierta.

---

[152] observatorioblockchain.com.

[153] axieinfinity.com.

TRADE III
¿Final feliz?

BENEFICIOS CONTRA CODICIA

Un paradigma de nuestra existencia

Una dinámica interesante ocurrió el 10 de abril. A las 7 de la mañana, mientras miraba el gráfico, el precio de bitcoin tocó 61 mil dólares. De vuelta a la cima, después de cuatro semanas de espera. Nuevamente cerca de un máximo histórico. Lo vi en vivo y estaba parado ahí con mi dedo listo para "vender", para cerrar mi posición abierta durante semanas.

No vendí. El motivo, como siempre, está impulsado por la esperanza de alcanzar un precio más alto y así lograr mayores beneficios. Error. Codicia. Cuando está en la cima, la opción más inteligente es vender. Porque después de cada pico sigue una caída, que es buen momento para volver a comprar. Estoy entrenando con el pasar de los días, de las semanas, mi personal naturalidad en sacar beneficios cada vez que se presentan. La actitud de la codicia es lo más normal en el ser humano. Pero no es una buena elección prácticamente nunca. Y en el trading menos.

Paradójicamente cuanto más quieres con las tripas, más arriesgas, menos obtienes. Cuando te acostumbras a ganar continuamente, es porque no te ha movido la codicia. El temor de sacar beneficios es algo muy común, que he podido observar también en mi experiencia.

Inviertes para ganar, y cuando los frutos están ahí listos para su recogida, esperas y esperas porque mañana probablemente serán mucho más. Pero la mañana siguiente llega, se han podrido todos y te quedas sin beneficios.

Con el tiempo y escuchando los consejos de los gurú, cada vez que la situación es propicia recojo los beneficios.

Con bitcoin y ether el razonamiento es un poco más complejo, porque mantener bitcoin puede convertirse en algo a largo plazo, venderlos para sacar beneficio sería también perder las acciones de este mundo nuevo.
Personalmente quiero tener estas "acciones" importantes de este mundo nuevo. Al lado de este razonamiento está la especulación y la conversión de este valor en dinero corriente que también es un elemento atractivo para nuestro día a día.
Mantengo la perspectiva de mantener los bitcoin congelados en la wallet durante años y esperando que alcance el cacareado millón de dólares, pero hay que llevarse algo por el camino, constantemente, científicamente. El porqué es obvio. Nadie sabe si Bitcoin se habrá convertido en historia en 2023. Es poco probable, pero es posible. O si vivirá un largo invierno unos años como ya demostró en 2017.
La estrategia de salida es algo que llevo gestando desde hace muchos meses, como todo el *network* de personas que han contribuido directa o indirectamente al desarrollo de este libro, y he llegado a una conclusión que contaré en breve.
Antes tengo que ocuparme de mi posición abierta desde hace semanas para cerrarla. Un maratón que empezó en la noche del 23 de febrero y que espero acabe de la mejor manera posible.
Incluso hoy, 12 de abril, hay quienes envían bitcoin a los 22 mil dólares y quienes están esperando la subida a 70 mil dólares. Estoy pensando en coger el próximo tren hasta la cima y he decidido jugar muy, muy duro. "Muy duro" para mí significa una cifra con cinco ceros, con el famoso apalancamiento.
A las 9 am del martes 13 de abril, sin haber dormido, vi el inicio del nuevo viaje en vivo, el mundo de las cryptomonedas estaba listo para celebrar una gran noticia. Estamos todos listos para que el cohete despegue, el precio se disparará porque una de las noticias más importantes está en el aire.
Coinbase, la plataforma de comercio de cryptomonedas más grande, nacida en 2012 en la ola de bitcoin, uno de los mejores *exchange* de cryptomonedas del mundo, con un volumen de transacciones de 445 mil millones de dólares en 2020, está a punto de dar el gran salto. En el primer trimestre de 2021 registró 56 millones de usuarios, 7 mil entre clientes institucionales, bancos, fondos de inversión y *hedge funds*, una facturación en el primer trimestre de 2021 de 1,8 mil millones con un beneficio neto de casi 800 millones de dólares.
Mañana, 14 de abril de 2021, Coinbase debutará en Nasdaq.

En Times Square, en el corazón de Nueva York, un icónico "In Satoshi We Trust" destaca en las enormes pantallas publicitarias.
La aceptación y el reconocimiento de los agentes económicos globales es la máxima bendición de esta revolucionaria tecnología financiera. La gente de la CryptoJungla respira hondo un aire fresco.
Bitcoin entra en la red financiera global por la puerta grande. En menos de diez años de vida, Coinbase, fundada por Brian Armstrong y Fred Ehrsam, ha alcanzado casi los 100 mil millones de dólares, superando a la Bolsa de Nueva York y al Nasdaq juntos. Una señal inequívoca del atractivo de las cryptomonedas.
La llegada al mercado de valores sigue a otras noticias que han despertado un sólido interés en bitcoin. Goldman Sachs, uno de los mayores bancos de inversión y grupos de valor del mundo declaró que está listo para ofrecer a los clientes privados vehículos de inversión para bitcoin y otros activos digitales. Morgan Stanley tiene un plan para ofrecer a los clientes adinerados acceso a tres fondos de inversión que permitirán la propiedad de bitcoin. Paypal y Visa han comenzado a utilizar cryptomonedas como forma de pago.
Finalmente, la historia recordará que bitcoin ha alcanzado los 63 mil dólares. Y estamos surfeando en la cresta de la ola.
El dilema siempre proviene de la codicia. Mañana el precio subirá, tendría que comprar de nuevo, comprar más, para cruzar la marca de los 63 mil dólares con los mejores beneficios posibles. La situación que ha surgido ahora después de las tormentas de las semanas anteriores, que me vieron como una cáscara de nuez en las olas, es la mejor que se podía imaginar. Pude poner el stop loss a un nivel más alto de mi precio de entrada y eso me garantizaba tener beneficios en caso de una caída repentina del precio. Por otro lado mirar hacia arriba y se abre un camino desconocido y emocionante. El entusiasmo se apodera de mis horas.
Como suele suceder cuando se rompe una resistencia anterior, hay que esperar porque la dinámica más común es la entrada en el ruedo de los "osos". Los osos venden y venden. Son los empedernidos detractores, los que bajan el precio. Pero ahora es el momento de un *bull run*, una corrida de toros. Los toros son los verdes que tienen optimismo en las venas y compran, siguen empujando y comprando para llegar a ver este proyecto colectivo hecho realidad. En realidad, muchos ven solo al Ferrari que tendrán en casa como meta, queriendo ser francos.
La tensión aumenta con las horas. Se acerca el gran momento.

Estoy listo para entrar, pero decidí finalmente no exagerar, no lo veo tan claro que bitcoin esté listo para correr hacia arriba, parece más equilibrado de lo esperado, con poco volumen. La euforia por la gran noticia fue una falsa alarma, bitcoin intenta pero no logra romper su techo anterior. Se queda ahí, baja un poco, sube un poco. Está "rangueando", es decir, está esperando subiendo y bajando al mismo nivel de precios. Hace esto para generar dudas. La duda es el motor de nuestra existencia. Cómo el gráfico de bitcoin (y cualquier otro valor, supongo) representa gráficamente nuestra existencia. Siempre dispuesto a soñar, siempre dispuesto a acabar en el barro. Constantemente en equilibrio inestable e impredecible. Cuando envejeces te acostumbras a la volatilidad, tomas todo por lo que es, un momento perverso de especulación.

Pasan 24 horas, estamos cerca del máximo y las últimas noticias son reconfortantes porque incluso si los indicadores en el gráfico comienzan a mostrar signos de impaciencia, es decir, el precio debería bajar, bitcoin está aguantando la presión vendedora y manteniendo su posición. Significa que irá hacia arriba. Me preparo una vez más para el evento y para alimentar la codicia, inyecté una nueva carga en mi presupuesto, con apalancamiento.

Entré en *pompa magna,* con el presupuesto más alto utilizado hasta ahora. Sin estrés. Sin preocupación. Con tranquilidad y con todo bajo control, sin posibilidad de perder porque tengo un excelente stop loss al precio de entrada, pero solo con el placer de observar cómo se produce una victoria campal.

Estoy atento cada minuto, con los ojos pegados al gráfico y finalmente pude ver la subida a la cima de hasta 64.3 mil dólares en vivo. Con la cabalgada de las Valquirias de fondo.

Cuando llegamos a 64 mil, vendí la mitad del presupuesto, con la esperanza de que la otra mitad siguiera corriendo hacia arriba un poco más. Al fin y al cabo, todo el mundo quiere los 70 mil.

Después de una gran subida de precio, siempre hay un nuevo descenso. Muchos están asustados y siempre creen que el descenso conducirá a un cero en picada. Pero no es así. Mientras se desarrolla este *bull run*, medito la estrategia para un golpe gordo.

El stop loss, a 59,8 mil dólares, mi precio de entrada, está muy lejos. Tengo cierto margen de maniobra para entrar con un fuerte apalancamiento. Cuando el gráfico de 4 horas se alinee y envíe las señales de una nueva subida, invertiré mi jugada más importante. Mientras tanto, para no perder mi posición, pongo el stop loss más bajo

que mi precio de entrada. Esto en caso de problemas me reportará pérdidas, pero así evito que la operación se me cierre a causa de una "mecha", caída repentina y breve, roja y traicionera.
El 15 de abril se palpaba la euforia. El mundo estaba lleno de planes y deseos. Un pueblo entero y virtual celebraba un presente mejor. Los gurú de fiesta. No son personas importantes. No es un ambiente *posh*. Todo lo contrario, no hay grandes estudios detrás de este enorme juego virtual de los trader que, como dice Nassim Nicholas Taleb en "Antifragile", es un ser sin un patrón específico. No ha estudiado nada específico. No es particularmente interesante. Es una mezcla entre un "animal de videojuego" y un "perro de caza".
Hoy es el día de la gloria. Quien en unos meses o unos años ha cambiado su forma de pensar y percibir el mundo está emocionado por un nuevo objetivo. La libertad financiera pasa por momentos como estos, sin tener que ser subyugado por un trabajo que consume la mayor parte de tu tiempo y energía. Muy a menudo en nuestra sociedad esto se relaciona con el fenómeno occidental asombroso de los *shit jobs*, descritos por el antropólogo David Graeber, como vimos anteriormente.
Te levantas por la mañana, gestionas automáticamente tu cambio de librea, luego pasas el día con gente que odias, pero con la que has aprendido a convivir y sobre todo a luchar. Una lucha continua de todos contra todos. En los pasillos verdes, en las oficinas grises. Llegas a casa y miras la televisión. A cambio compras lo que quieres. Pero si eres trabajador no tienes tiempo para disfrutar de tu bienestar material. Entonces el cuerpo lo nota y empiezas a sentirte mal. Para sentirte bien, tomas un millón de pastillas de colores y vas como un cohete. O bebes. O fumas. O todo junto. Luego sales con el pecho a la vista y te sientas con las piernas cruzadas para tomarte un trago en el bar más caro con la puesta de sol. Así por lo menos habrás dado un sentido a trabajar tanto. Luego vas a casa y miras la televisión. O escuchas música en el mejor de los casos. Sea como sea, no tienes tiempo y no tienes fuerzas. Porque toda la energía se gasta en convivir con las personas que odias, con las que has aprendido a resistir. Y todos los días el sueño de algo se ha convertido en lo que ya tienes. Pero no tienes tiempo para disfrutarlo.
El 18 de abril, apenas una hora antes de tomar un vuelo a Madrid, la vela roja empezó a arder. Nunca había presenciado un descenso tan repentino. Ni siquiera el anterior récord negativo que se produjo hace apenas tres meses, el 23 de febrero. En menos de 5 minutos el precio bajó de 62 mil dólares a 54,9 mil dólares. Un descenso vertiginoso.

Cuando bitcoin estaba en 62 mil, tuve el impulso de vender para cobrar beneficios, tenía un stop en 59,8 mil dólares, mi precio de entrada. El error fue quitar este paracaídas. Lo quité para evitar que una "estúpida" mecha roja de una vela me sacara del juego en unos minutos. Pero ahora me encuentro de nuevo por tercera vez en la muy peligrosa situación del 23 de febrero. Quitar el stop loss fue un acto de imperdonable ligereza, una vez más me encuentro con los hombros descubiertos a merced de las olas. Una vez más, si bitcoin baja demasiado, pierdo todo lo que he ganado hasta ahora, más todo mi budget. Esta vez el peligro es mayor porque entré apalancado como nunca antes. Mucha carne en el fuego y otra vez un contragolpe inesperado del impredecible movimiento de bitcoin.
Me equivoqué. Si baja a 48 mil dólares, me quedo fuera. Una derrota imperdonable e indeleble.
Los trader que sigo invierten 5%, 10%, 15% en cada operación, en casos raros hasta el 30% de su presupuesto y hacen un cálculo de probabilidad y riesgo. Mientras yo juego con demasiada fuerza con bitcoin. Si sale mal, sale muy, muy mal.
Afortunadamente, en esta situación hoy cerré todas las demás operaciones abiertas con beneficio y me quedé solo con el principal activo, bitcoin.
Se abrirán días de grandes análisis y perspectivas fluctuantes. Una vez más me encuentro en esta peligrosa posición.
No debería haber eliminado el stop loss, me repito. Me condeno por no aprender. Debería haber aprendido de las dos grandes caídas que ocurrieron en febrero y marzo.
No debería haber eliminado el stop loss, repito.
El stop loss no se quita también por otro motivo, además del peligro de perderlo todo. La razón es clara. Ahora habría tenido la oportunidad de comprar en zona de 55 mil dólares con una gran ventaja para obtener buenos beneficios en la próxima operación.
Quemé esta oportunidad por no protegerme, como habría sido deseable. En el momento de escribir estas líneas, el bitcoin ha vuelto a caer, alcanzando los 50,8 mil dólares. Estoy a un paso de la derrota. Es una caída sensacional. Peor que la que ya viví en febrero. En solo unos minutos ha bajado más de 12 mil dólares. Permanecerá en el tablero de los recuerdos traumáticos del bitcoin. Y una vez más, sin saberlo, soy involuntariamente protagonista.
En este momento estoy perdiendo como nunca antes en mi experiencia de cryptotrader. Comienzan a emerger nuevamente los monstruos y los

espíritus danzantes. La culpa y el sudor frío. Todos los síntomas del *fud* están en mí.
Espero recordarlos, porque aprender una estrategia significa no volver a encontrarse jamás en esta situación.
El precio estuvo a punto de liquidar todo mi presupuesto. Un pequeño paso para perderlo todo. A un paso de anular todas las operaciones positivas de estos meses. No quiero contar este final.
La cuenta liquidada es lo peor que te pueda pasar y estoy muy, muy cerca. Después del tercer golpe que experimento en vivo, soy un poco más frío y estoy más seguro de lo que va a pasar. Si toca 48 mil dólares en estos días, estaré fuera de juego. Necesitaré un tiempo para recomponerme.
Contaré en estas páginas la historia más clásica, triste y frecuente de CryptoJungla, la sensacional derrota del neófito. Es por esto que el jovial Elon Musk desde lo alto de su torre de miles de millones dijo "No vendas tu casa para invertir en bitcoin". Leo las noticias. 8 mil millones de dólares liquidados en una hora en los 8 *exchange* más grandes. En Twitter, las publicaciones en turco van en aumento, quince de veinte provienen de allí. Bitcoin ha sido prohibido en Turquía estos días, pero el colapso se produce después de que surjan rumores de que el Tesoro de Estados Unidos está cobrando a varias instituciones financieras por lavado de dinero usando cryptomonedas. O tal vez sea culpa de un apagón eléctrico en China. Honestamente, las noticias no marcan la diferencia en este momento.
21 de abril. El gráfico diario marca una tendencia alcista. Mientras el gráfico de 4 horas marca una tendencia bajista. El señor Jaime sigue con su "Lo ve' allí" y continua martilleando sus conjeturas a una media de 5 mil almas preparadas para enfrentar una noche de gran pesca. Tiene mucho del pescar el trading. La paciencia y la técnica. Debes saber esperar el momento, la corriente, debes saber observar.
Y todos los días te llevas a casa un buen botín. Aunque en verdad la mayoría pierde su dinero.
Una vez más me encuentro suspendido y llega otra noticia negativa. En el gráfico semanal rango o caída confirmada. Bitcoin comienza a mostrar los signos de la gran caída esperada. Espero que no me arrolle ahora mismo.
Me tranquilizo. "En cuatro meses puede bajar", dice Jaime. Esto significa que junio, julio, agosto, tal vez incluso septiembre de 2021 serán meses en los que el precio de bitcoin caerá a niveles más bajos de lo habitual, tan bajo como para atraer a todos los inversores, holder y trader, listos

para comprar a los pesimistas cósmicos y reponer mucho dinero en sus arcas. Los que quieran comprar tienen un verano perfecto por delante.
22 de abril. Trading Latino advierte sobre la caída libre. Insinúa un largo momento de caída. Al mismo tiempo, Jose Mazzucco dibuja un futuro cercano cuesta arriba. Si sigo las pautas de Trading Latino, pierdo una gran parte de mi capital, pero guardo el resto. Si sigo a Jose Mazzucco cerraré positivamente o lo perderé todo. Si sigo el instinto antifrágil tengo que jugarlo todo o nada.
23 de abril. El día más oscuro. Tengo que irme, tengo un avión en unas horas. Si pasa algo durante el vuelo, lo pierdo todo. He estado pegado al gráfico durante días. Especulo sobre qué hacer. Estoy demasiado apalancado para esta situación de extrema volatilidad. Si bitcoin gira hacia los 48 mil euros, estoy liquidado. No pienso en nada más y mi estado de ánimo se resiente.
No puedo volar en esta situación, no puedo viajar pensando en esto. El miedo se está abriendo camino apoyándose en la fatiga, el poco sueño. Estoy en las garras de las olas del océano como una nuez, una vez más. Antes de subirme al avión si no pasa algo bueno, amputaré parte de los beneficios y cederé a la presión. No es una elección fácil. Perderé una parte de los beneficios conquistados en estos meses.
La decisión más complicada ha sido tomada.
Con una pérdida obscena, vendí y cerré la operación.
En el cálculo general me quedo en positivo, pero he perdido una buena parte del mismo. Cometí un error al eliminar el stop loss y estoy pagando las consecuencias.
¿Estoy triste o amargado? No.
¿Estoy furioso por el error? Sí, pero lo aceptaré.
Inmediatamente me concentro en qué hacer para recuperar la cuota perdida. Esperaré un poco para no entrar por venganza, esperaré el mejor momento y volveré a entrar en el oscuro mar tormentoso.
29 de abril. El precio ha estado en el mismo rango durante días. Según la experiencia de Jaime, esto significa que a pesar de que el movimiento apunta a una caída, está resistiendo. La fuerza compradora no permite al precio caer. Así que la probabilidad mayor es de subida. Así dice él.
Yo quiero recuperar lo que perdí, así que abro una nueva operación y entro en esta situación de incertidumbre, para estar listo a la subida hacia los 59 mil. A las 19:10 del día 29 el mensaje de Telegram de Jontrader me pone en alerta, justo mientras escribo. "Parece que bitcoin está cumpliendo zonas y lo vamos a ver de nuevo en los 49 mil dólares". El precio ha caído a 52,7 mil dólares. El vaticinio de Jontrader anuncia

una nueva ruina para mí. No habría tenido que abrir una nueva operación en una situación de incertidumbre tan alta. Por lo menos no en Quantfury con apalancamiento. En Binance comprando verdaderas monedas sí. Pero en el casino, no.
¿Quién tendrá la razón, Trader Latino o Jontrader?
A las 19:17 la fuerza compradora ha dibujado una secuencia de velas verdes, la lucha entre pesimistas y optimistas está en su momento crucial.
A las 19:20 Trader Latino lanza una señal en Telegram diciendo que nosotros mantenemos la posición abierta. El precio sigue subiendo.
El día después, 30 de abril, el gráfico tiene un golpe al alza. Trader Latino tenía razón.
Yo empezaba a reconquistar todo lo que había perdido.

¿Cómo acabará?

En estos días las noticias giran alrededor de la palabra "control".
El gobierno español a la espera de las indicaciones europeas se lanzó a obligar a las plataformas de trading españolas y las wallet a registrar la identidad de sus usuarios y la obligación de señalar movimientos sospechosos de lavado de dinero. El argumento del blanqueo es la clave del "control". Y el argumento del terrorismo también.
El día 6 por fin la luz. En mi cuenta nuevamente el verde que indica los beneficios. Pero todavía poca cosa y tengo la tentación de vender y cobrar alguna pequeña satisfacción después de las últimas pérdidas, pero la antigua codicia y la prepotente compañera no me lo permitió.
A las 20:38 del día 6 el precio se ha desplomado otra vez. Todos los expertos que escuché durante el día lo llevaban para arriba.
Esto es un punto que me ha costado entender pero es fundamental.
La previsión para los próximos días es de subida. Lo dice el gráfico diario. En las próximas horas hay incertidumbre. En los próximos meses bajada importante. O sea, una metáfora de la vida. Si quiero vender bitcoin debo hacerlo ahora o esperar la última subida fuerte, si es que la va a haber, prevista en las próximas semanas. Luego habrá una fuerte caída. Muy fuerte.
Todo esto sin tener en cuenta que a lo mejor mañana cae de 10 mil dólares y me liquida la cuenta, porque estoy apalancado una vez más y sin stop loss. Después de tanto tiempo mi gestión del riesgo sigue siendo kamikaze. La codicia gana. Y la codicia puede llevarte a los puntos más bajos del infierno. En la religión y en el trading. También

cabe la posibilidad que acabe todo esto con un triunfo redondo que será la base de mi fortaleza financiera en los próximos meses. Ser kamikaze tiene también su lado positivo.
Bitcoin ha bajado otra vez. He comprado otra vez. La operación siempre abierta. Mi budget está en peligro y gesta un gran beneficio en el mismo instante.
El 7 de mayo a las 6:48 pm, una subida crucial. En pocos minutos el precio alcanzó los 58,7 mil dólares. Inmediatamente dos mensajes, de los grupos privados de Jaime Merino alias Trader Latino, el otro de Jose Mazzucco del canal Bitcoin sin Fronteras.
Jaime: "Vende bitcoin".
José: "Compra bitcoin".
Un ejemplo muy claro de cómo todo es interpretable. De que cada estrategia tiene un porqué y una manera de desarrollarse. De que los gráficos tienen múltiples interpretaciones. Y sobre todo, la evidencia de oro, nadie sabe lo que va a pasar.
En estos días he posicionado órdenes de ventas con este patrón. Lo que compré en 55 mil dólares, con una orden de venta a 58,5 mil dólares. Un 40% del total restante programado para venderse justo antes de los 60 mil, donde seguro que encontrará resistencia y un 60% sobre los 60.890 miles de dólares, dado que según las previsiones la próxima resistencia es de 61 mil.
Finalmente salí de otro punto de máximo riesgo. Ya he recuperado la pérdida de hace unos días.
Falta un último paso.
Lunes 10 de mayo la incertidumbre nos empuja hacia las altcoin. Compro qtum. Y entro tímidamente en bitcoin sobre los 57 mil dólares.
Día 13, hora 2 de la mañana. Apocalypse Now. El bitcoin cae de golpe a 45 mil. Una sangría. La comunidad crypto desde Twitter echa la culpa a Elon Musk, que ha anunciado que Tesla no aceptará más pagos en bitcoin hasta que no se resuelva el problema energético y buscará una nueva cryptomoneda que consuma menos energía. Musk parece actuar presionado por poderes superiores en esta *butade* sobre un tema controvertido, pero no tan concluyente.
Esta caída me lleva a encajar un buen golpe de la crypto qtum, aconsejada por Mazzucco hace dos días. Una buena pérdida. Un segundo de odio dedicado a Mazzucco.
Día 14. Siento que estamos al final de un ciclo. Y el año de euforia se está acabando. Bitcoin se acostumbró a navegar alrededor de los 50 mil dólares, sin tocar los esperados 70 mil, 80 mil, 100 mil que todo el

mundo soñaba. Jaime vendió sus bitcoin cerca de los 60 mil. Javi vendió sobre los 40 mil.
¿Qué haré yo?
La noche del 14 de mayo sobre las 4 intento un último golpe de efecto. Jaime lanza la señal. "Comprad bitcoin", desde Telegram. Nada más entrar el valor baja de mil euros. Empiezo una vez más en rojo.
El juego se me empieza a hacer pesado. Jaime anuncia que en breve empezaremos a invertir a la baja, en vez de al alza. Empezaremos a deponer los cuernos del toro para disfrazarnos de osos. Como vampiros ganaremos de la sangre del bitcoin.
Por la noche del mismo día he cerrado mi operación con pequeñas ganancias, así me he protegido de eventuales pérdidas en este momento tan indefinido. En estos días bitcoin se ha cansado de sí mismo. Quantfury no me parece una buena opción para estos días de incertidumbre. Desde hoy, hasta que no acabe el "largo invierno" de bitcoin compraré y venderé en *exchange* sin apalancamiento. O utilizaré de vez en cuando Quantfury, o experimentaré por primera vez Bingbon, para un juego a la baja con algo de apalancamiento. Cierro el círculo de esta intensa experiencia con una buena dosis de satisfacción. Con un triunfo total de estos meses muy llamativo para mis expectativas. Estoy cerrando el primer ciclo de una experiencia muy útil e inolvidable donde vi la oscuridad que existe al borde del abismo. Y vi la luz lejana de la esperanza.
Estudiando mucho, teniendo amigos ingenieros, sabiendo calcular las probabilidades con una Excel, teniendo un entrenamiento psicológico adecuado, he podido sacar mucho beneficio del cryptotrading.
Pero en general he descubierto un mundo que se está reinventando para dejar atrás al feudo, que en breve desaparecerá por ser inadecuado.
La incertidumbre de la CryptoJungla a muchos no le genera miedo, por no tener puntos de referencias clásicos. Si eres antifrágil, puedes encontrar un oasis de libertad e independencia en el mundo crypto, tanto del trading como de los productos de finanza descentralizada. Un mundo que promueve la difusión de las finanzas. Un mundo donde cada persona tendrá una wallet con muchas diferentes monedas o token, mucho valor que intercambiar. No solo pocos como fue hasta ahora.
También he entendido que la CryptoJungla no perdona y es muy fácil arruinarse. Para evitarlo hay que estudiar e ir con pies de plomo. Hay que tener un paracaídas gigante detrás. No vale la pena jugarse nada que no se quiera perder.

Ya la primera edición del libro en un delirio de perfiles de color y una cierta brujería informática ha salido de la imprenta. Y hoy 19 de mayo acaba de pasar lo improbable, pero posible. Bitcoin con el parapente ha empezado desde los 61 mil de hace unas semanas a caracolear hasta los 50. Ya me paré de seguirlo, perdí un poco la concentración, por el tema del cierre de este libro. Justo ayer el señor Mazzucco, de Bitcoin sin Fronteras ha dado una charla en Telegram con otros trader del mercado "normal" y sentí su voz extraña. Estaba cantando con sus palabras un requiem. Mi quinto sentido y medio me anunció una sangría. Hoy 19 de mayo 2021 será recordado en la historia de bitcoin. La tristeza nos ha abrazado como si fuera miel. Siento las lagrimas de muchos inversores, pequeños, grandes, arruinados por una caída histórica que nos ha devuelto a niveles más bajos de lo previsible.
El primer pensamiento va a Bastian, que tristemente perdió su eterna tranquilidad financiera, su jugada maestra. Una verdadera pena. Mi pensamiento va a Javi que como siempre con su equilibrio y brillantez ha centrado la jugada vendiendo casi todo para comprarse la casa. Mi pensamiento va a Jaime, el Trading Latino, que nos sorprendió vendiendo a 55 mil dólares el 75% de sus bitcoin. Tenía razón. Y ahora con las arcas llenas de ganancias volverá a comprar en el punto más bajo. La diosa codicia, mi poca experiencia me han marcado. Habría tenido que sacar más ganancia cuando el árbol estaba lleno. Estas ganancias volverán. Pero habría podido duplicarlas si hubiese vendido una buena parte de mi inversión.
Pienso en las posiciones abiertas en los broker como Quantfury. Me salí bien en un momento doloroso, pero hice bien. Gané, y sobre todo, no perdí.
He aprendido dos cosas muy importantes. El trading se basa no en ganar dinero, se basa en saber gestionar el riesgo. Y en comerse las ganancias en cuanto aparezcan. Lo voy a tener en mente para el próximo futuro.
Porque mientras todo el mundo llora, yo me acabo de pasar más fondos para estar listo para comprar. Cuando todo el mundo vende es el momento de comprar. Pero hay que esperar que toque el fondo y no es sencillo entender cuándo será este momento.
Otra cosa que me llama la atención. Hoy todo el mundo me envía mensajes, quiere saber qué pasa, cómo interpretar la sangría. Es interesante cómo los sabores fuertes, sobre todos los más negativos, despiertan un interés tremendo.
Confieso que la llamada que más me ha sorprendido es del hijo de un amigo, un tipo pequeño y muy listo, que me llamó para saber si es buen

momento para comprar doge. No dispenso consejo de inversión, pero muy listo el niño. Le expliqué que hoy es un buen día para mirar el gráfico en Tradingview, el gráfico btc/usdt, de fijarlo bien en los recuerdos, porque las velas rojas hoy han hecho llorar a mucha gente. Hay que invertir con cuidado, con conocimiento y con gestión de riesgo. O sea inyectar en el circo solo lo que no te importa perder.
Panem et circenses. Pan y circo. Pan y diversión. Adrenalina. ¿Será todo esto tiempo perdido al frente de temas más trascendentes que podrían realmente mejorar nuestra existencia? Me lo pregunto cada día.
El comportamiento cotidiano es el espejo de una población capaz de jugarse la vida frente a rayitas verdes o rojas que configuran una lógica impalpable y lejana llamada mercado. El mercado tiene carácter y es fruto de la mentalidad de quienes forman parte de él. El mercado en su esencia "está hecho para perder. Quitarte tu capital y dárselo a otro", repite en su sermón diario el Trading Latino[154]. Por otro lado hay quien cree[155] que es un error "pensar que para que alguien gane dinero otro deberá perderlo. Para que alguien gane nadie tiene que perder, al contrario, para que alguien gane dinero, antes alguien más debe ganar en un valor muy superior al del dinero ganado por el primero. La única forma de ganar más, y de ganar continuamente en el tiempo, es que todos ganen".
Nunca pensé que terminaría en la arena del trading. Nunca podría haber imaginado un mundo tan caótico donde todo puede tener valor. Donde la información generalizada ha mezclado tanto las cartas que el bien y el mal se han convertido en una cosa sola.
En la jungla tienes que vivir sin miedo, tienes que lanzarte a los arroyos y defenderte de las bestias. Tienes que dormir con un ojo. Eres todo en lo que puedes creer ciegamente, porque en cualquier momento puedes ser devorado por tus semejantes. En la jungla también tienes recompensas con frutos jugosos, vistas fantásticas desde la cima de una montaña o colgando de un árbol, mientras el viento fresco acompaña el sol en tu piel. Puedes ser tú mismo y fomentar tu destino.
Puedes estar en armonía con todo lo que te rodea y aprender de cada movimiento de la vida que te acompaña.
Ahora que he tenido esta experiencia intensa y memorable, no creo que haya terminado. Ahora que he aprendido a dar los primeros pasos,

[154] Youtube https://www.youtube.com/watch?v=pCDCvGrFpf U&t=3161s de 1 abril 2021.

[155] "Sabiduría financiera, el dinero se hace en la mente" de Raimon Samsó.

esperaré la próxima caída para volver a comprar. Para luego cruzar un nuevo límite y así sellar un ulterior hito memorable.

THE END

P.S.: LA ESFERA DE CRISTAL

¿Cuál es el plan?

Antes de contarte cuál puede ser el plan, tengo que recordarte por la enésima vez que no tomes las indicaciones contenidas en este libro como una recomendación de inversión. No porque estén mal, pero simplemente no lo son por su naturaleza.

Esta es una aventura directa, pero no soy un asesor financiero, ni voy a serlo. Si decides comprar, vender o lo que creas mejor para tus finanzas, piénsalo bien, estudia mucho. En este libro hay muchas indicaciones e inspiraciones, links, citas, que te vendrán fenomenal para poder profundizar y construir si así lo consideras oportuno tu camino en la CryptoJungla.

El plan. Hay que sacar las ganancias de este año si se van a presentar. Dado el desplome, tenemos que esperar para luego seguir con otra aventura que se cierre con otro *bull run* en 2024.

El gurú que sigo ha vendido mucha parte de sus bitcoin. Yo no lo hice, te explico porqué.

Ser parte de bitcoin va mucho más allá de la especulación. Y esta parte es también interesante. Para mí es la más interesante. Es la parte que cuenta un mundo que se gestiona solo sin necesidad de un filtro central. Es la unión de mentes brillantes que han creado una alternativa que funciona mejor y que todo el mundo utilizará, tanto de los apasionados del tema como de los detractores.

El valor de bitcoin aumentará, no sé cuándo, nadie sabe cuándo ni cómo. Nadie sabe si llegará a un millón a dos millones o a la Luna. Pero está claro que ha dado el click a un cambio que merece la pena ser visto.

Quiero ver esta película desde dentro, no quiero mirarla como un escaparate. Quiero ver cómo reacciona el mundo a esta nueva forma de ver las relaciones en esta comunidad. Quiero ver cómo la nueva generación da una lección de sentido común a los feudos injustos y polarizantes que nos han dejado un mundo hiperproductivo pero profundamente hostil. Una revolución muy extraña, un fenómeno ultracapitalista que organiza la comunidad de otra manera, más eficiente, más justa, más avanzada tecnológicamente, que da oportunidades a todos de compartir. Blockchain y bitcoin son sinónimo de compartir. De las fronteras abatidas, sin necesidad de firmar nada, sin necesidad de aferrarnos a una bandera para definir lo que somos. Un mundo de gente que odia y que no colabora es un mundo estúpido. Un mundo donde el 99% de la población trabaja para mantener un plan indescifrable de un simple y muy loco 1% es muy poco eficaz. No muy inteligente. No sé cuál es el plan de los alienígenas, de los iluminati, de los malos de la película, pero veo que las mentes brillantes del mundo sin pedir permiso han encontrado una solución que podría resucitar a esta comunidad mundial y llevarla a otro lugar más avanzado . Un nuevo capítulo para la historia de la humanidad se abrió. Y tuve la suerte de poder fotografiarlo. La revolución ya no es la de la Bastilla. Y los feudos de los que hablo no son de piedra.
Y no parece un gran premio poder entrar allí.
Siempre ha habido una larga cola para entrar, todos querían y quieren entrar al feudo, pero la cola de los últimos años parece cada vez menos espesa.
La revolución en curso no se produce asaltando los palacios feudales con adoquines, sino en zapatillas en el sofá, en el mar en un barco, en medio de la campaña de Transilvania, en la reserva natural de Es Trenc o en las clínicas médicas de la ciudad de Gaborone en Botsuana.
Un mundo colaborativo y generalizado es aquel en el que converge una nueva forma de pensar que se ha gestado durante 30 años. La colaboración en el sistema actual es incluso un signo de debilidad.
En el mundo paralelo es útil la convivencia, no se ve como algo que limita tu libertad. Tu libertad y la de los demás conviven a la perfección.
En nuestro mundo actual, sin embargo, la imposición está bien vista. Si te impones eres fuerte y esta lógica te lleva a ser una especie animal muy frustrada. Siguiendo esta lógica siempre tendrás a alguien que decida por ti. Es como estar en casa toda la vida con papá, que te protege, pero impone sus reglas obsoletas. Y papá es un tipo ansioso.

La gente de Internet parece ser capaz de hacer todo por sí misma. Lo está demostrando, sin romper las reglas, sin imponer nada. Entra de forma líquida en nuestras vidas. Internet es un Estado que representa el mercado más grande del mundo. Un pueblo rico e independiente. Es un mar lleno de piratas, donde las reglas importantes ponen a todos de acuerdo. Es un juego de estrategia colectiva que demuestra la ineficacia de la antigua lógica del feudo.
La llama del feudo se apaga gradualmente.
Nueve páginas bastaron para cambiar el curso de la historia.
Recuerda, si te preguntan, que la revolución en marcha consiste en un nuevo instrumento. Una herramienta útil, fácil de usar, compleja de programar, pero donde muchas personas inteligentes de todo el mundo están trabajando y juntas están generando valor.
Este es el valor detrás de bitcoin.
Es fácil imaginar a millones de personas que, como peonzas, generan energía humana y encienden la chispa continua que lleva a la moneda a pasar de ser un holograma imaginado a un tótem de una nueva generación.
Blockchain es el caballo de Troya del sistema. Porque la transparencia es incompatible con el feudo. Y este nuevo método que favorece los intercambios entre personas es rápido, actualiza continuamente su esqueleto a votación de la comunidad, resuelve problemas en función de las necesidades reales de la masa y promete cambiar definitivamente nuestra forma de relacionarnos.

Si quieres fomentar esta investigación y la información descentralizada puedes enviar el volumen que consideres oportuno de bitcoin y ether a estas direcciones.

CRYPTOJUNGLA
Manual de CryptoSupervivencia

CPSIA information can be obtained
at www.ICGtesting.com
Printed in the USA
LVHW040809110122
708181LV00003B/77